히브리어 쓰기성경

תהלים

- 시편 (제2권) -

42편 ~ 72편

언약성경연구소

케타브 프로젝트: 히브리어 쓰기성경 – 시편 제2권

발 행 | 2024년 2월 29일
저 자 | 이학재
발행인 | 최현기
편집 · 디자인 | 허동보

등록번호 | 제399-2010-000013호
발행처 | 홀리북클럽
주 소 | 경기도 남양주시 진접읍 내각2로12 (070-4126-3496)

ISBN | 979-11-6107-055-1
가 격 | 18,200원

כתב Project

히브리어쓰기성경

42편 ~ 72편

영·한·히브리어
대역대조 쓰기성경

언약성경연구소

* 본 책에는 맛싸성경(한글), 개역한글(한글), WLC(히브리어), NET(영어) 성경 역본이 사용되었으며,
KoPub 바탕체, KoPub 돋움체, Frank Ruhl Libre, 세방체 폰트가 사용되었습니다.
히브리어 알파벳표, 모음표, 알파벳송 악보는 『왕초보 히브리어 펜습자』(허동보 저) 저자의 동의를 받고 첨부하였습니다.
맛싸성경3은 저자 이학재 교수가 원문성경에서 직접 번역한 번역물로 번역 저작물이 저작권협회에 접수된 개인번역입니다.

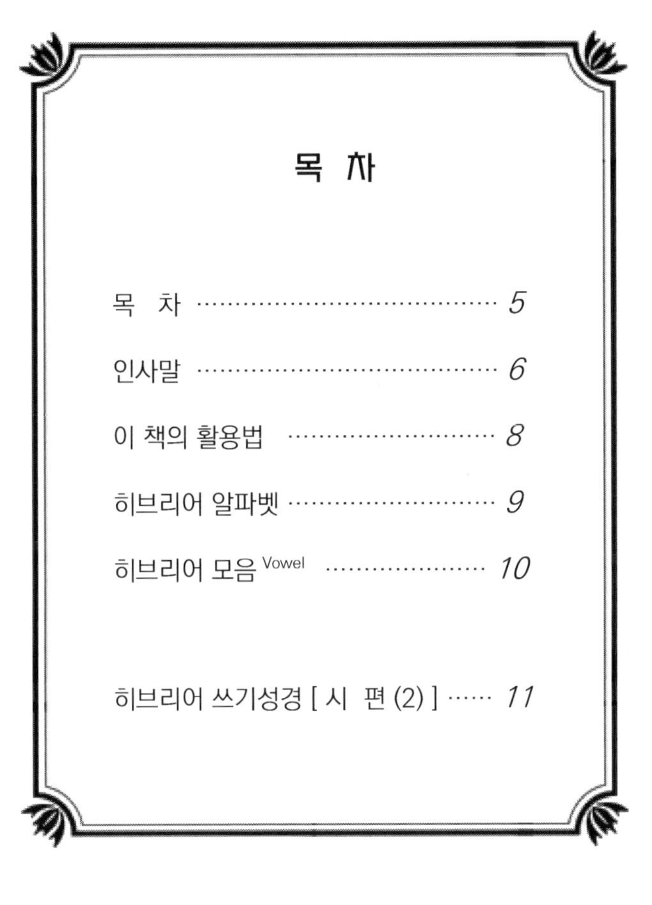

목 차

"시편"은 다윗 왕과 그 외 시인들의 하나님을 향한 기도와 찬양, 고백, 희생에 관한 시들로 이루어져 있습니다. 시편은 총 150편으로 이루어져 있으며, 그 내용과 특성에 따라 다섯 권으로 나눕니다.

· 제1권: 1-41편 · 제2권: 42-72편 · 제3권: 73-89편,
· 제4권: 90-106편 · 제5권: 107-150편

이학재 Lee Hakjae · Covenant University 부총장
· 월간 맛싸 대표 · 맛싸성경 번역자 · 언약성경협회장

성경은 말씀으로 읽고 소리내서 낭독하는 훈련이 필요하다. 또한 성경은 precept, 즉 글로 적은 글이다. 십계명도 하나님께서 적어 주신 것이고 구약성경, 신약성경 모두다 사람들이 손으로 필사하여 전해온 것이다. 특히 시편에서는 하나님의 말씀을 '호크'규례, 교훈라고 부르는데 이것은 '하카크' 즉 '새기다, 기록하다'는 의미이다. 성경은 1455년에 라틴어를 출간하기까지 구약은 서기관들에 의해서 두루마리에 필사를 통해서 기록되었고 신약 역시 대문자, 소문자 등을 통해서 손으로 직접 적었다.

이같은 성경은 소리내 읽는 '낭독'과 글로 적는 '호크'precept로 기록된 말씀이다. 물론 타자를 치는 필사를 비롯하여 다양한 방법이 있지만, 특히 AI 시대에는 주관성과 개인의 특성을 가진 영성이 품어 나오는 적기 성경 즉 '필사 성경'이 필요하다. 시중에 한글 필사성경, 영어 등은 이미 출판되어 있지만 원문 필사는 아직 나오지 않았다. 원문 필사를 위해서는 원문만 넣을 것이 아니라 한글의 공적성경개역, 개역개정과 또한 사역이지만 원문에서 번역한 것이 필요한데 이런 면에서 '맛싸 성경'은 중요한 역할을 할 것이다. 아울러 영역본도 함께 제공되어 원문과 함께 번역본들을 보게 되고 자신의 필사 성경도 각권으로 남게 될 것이다.

성경을 적는다는 것은 참으로 중요하다. 기도하면서 성경에서도 달려가면서도 성경을 읽게 하라는 말씀은 성경에도 기록되어 있다하박국 2장. 많은 사람들이 성경을 덮어두거나, '말아 놓았다'. 이제는 적어서 펼쳐 놓아야 한다. 이런 면에서 족자, 액자들 성경 원문 쓰기를 통해서 원문을 보고 묵상하고 더욱 말씀을 가시적으로 보며 그 말씀의 생명력을 가지는 삶을 살아야 할 것이다. 이 모든 것이 '적는 것'כתב 케타브에서 시작된다. 이 시리즈는 구약 전권 신약 전권의 '쓰기', '적기'를 출간하는 것으로 생각하고 있다. 매일 일정한 양을 쓰면서 원문을 자유롭게 이해하고 원문의 바른 의미, 성경의 의미를 바르게 이해해서 말씀에 근거를 둔 그러한 건강한 말씀 중심의 삶을 살아가시기를 소원한다.

2023년 8월 10일

허동보 Huh Dongbo · 수현교회 담임목사 · Covenant University 통합과정 중
· 왕초보 히브리어 저자 및 강사

교회 역사는 대부분 이단으로부터 교회를 보호하는 역사였습니다. 사도들과 교부들의 가르침, 공의회를 통한 결정들은 우리 신앙의 선배들이 이단으로부터 교회를 지키고자 목숨까지 걸었던 몸부림이라고 해도 과언이 아닙니다. 그 신념, 그 몸부림의 근거는 바로 성경이었습니다. 하나님의 말씀이자 우리 신앙생활의 원천인 성경은 수천년이 지난 이 시대를 살아가는 우리가 쉽게 읽을 수 있도록 전문가들을 통해 비교적 잘 번역되어 있습니다. 그럼에도 불구하고 말씀을 사랑하고 매일 묵상하는 우리 그리스도인들이 히브리어와 헬라어를 배워야 하는 까닭은 무엇일까요?

첫째로 지금도 교회를 노리고 핍박하는 이들로부터 주님의 몸 된 교회를 지키기 위해서입니다. 아무리 번역이 잘 되었다고 하더라도 해당 언어가 가진 고유의 뉘앙스와 의미를 동일하게 전달하는 것은 불가능합니다. 따라서 우리는 원전을 살펴봄으로써 말씀에 대한 왜곡과 오해를 헤쳐 나가야 합니다. 둘째로 언어의 한계성 때문입니다. 성경이 쓰여지던 시기의 사회적 배경과 문학적 장치들을 더 잘 전달받기 위해서 우리는 히브리어와 헬라어를 배워야 합니다. 우리는 해당 언어를 통해 한글성경에서 느끼기 힘든 시적 운율과 다양한 의미들을 더욱 세밀하게 들여다볼 수 있으며, 이 과정에서 더 큰 은혜를 느낄 수 있습니다. 셋째로 말씀을 사모하기 때문입니다. 다른 언어를 배운다는 것은 쉽지 않습니다. 그 어려움보다 말씀에 대한 사모가 더욱 간절하기에 우리는 기꺼이 시간과 노력을 할애할 수 있습니다. 이는 마치 해리포터를 사랑하는 사람이 영어를 배우고, 톨스토이를 사랑하는 사람이 러시아어를 배우는 것처럼 원전에 더 가까워지고자 하는 욕망은 말씀을 사모하는 이들이라면 거스를 수 없을 것입니다.

이런 관점에서 언약성경협회와 언약성경연구소의 사역은 하나님의 말씀을 열정적으로 소망하는 우리 그리스도인들에게 있어서 꼭 필요한, 그리고 꼭 이루어 나가야 할 사명이 아닌가 합니다. 이에 말씀을 사모하는 많은 분들이 케타브 프로젝트에 동참하길 소망합니다. 아울러 이학재 교수님을 통해 영광스럽게도 편집과 디자인으로 이 프로젝트에 동참하게 된 것에 대해 주님께 감사드립니다.

편집자

히브리어쓰기성경 활용법

이 책의 구조와 활용법에 대해 알려드립니다.

1. 왼쪽 페이지는 히브리어 성경인 WLC역본과 더불어 맛싸성경과 함께 영문역본 NET2를 대조하였습니다.

   - 맛싸성경은 저자 이학재 교수가 원문성경에서 직접 번역한 번역물로 번역 저작물이 저작권협회에 접수된 개인 번역입니다.

2. 왼쪽 페이지 좌상단에 위치한 숫자는 각 장을 말합니다. 각 절은 본문에 포함되어 있습니다.

   ① 몇 장인지 나타냅니다.
   ② WLC 본문입니다.
   ③ 맛싸성경 본문입니다.
   ④ NET2 본문입니다.

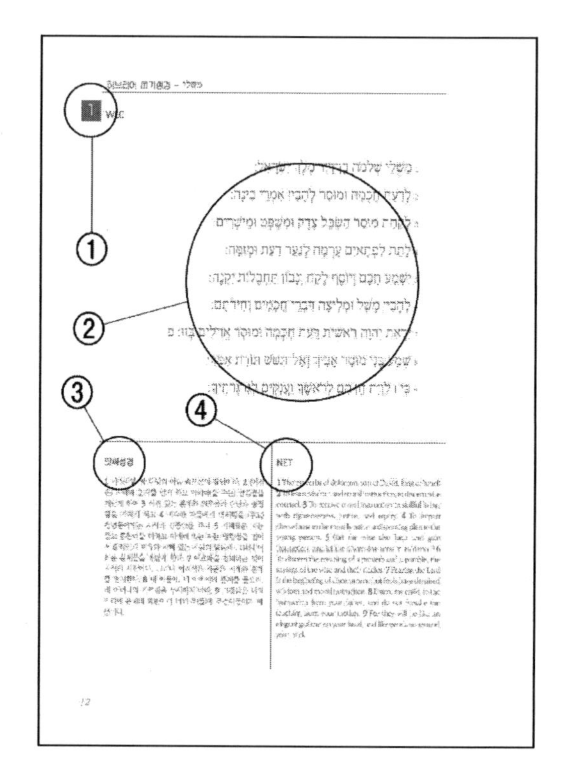

3. 여백을 넉넉히 두어 필사와 함께 성경공부를 위한 노트로 사용할 수 있습니다.

* 히브리어쓰기성경을 통해 하나님의 은혜가 더욱 풍성하고 가득한 신앙의 여정이 되시길 소망합니다.

히브리어 알파벳

형 태	이 름	꼬리형	형 태	이 름	꼬리형
א	알렙		מ	멤	ם
ב	베트		נ	눈	ן
ג	기믈		ס	싸멕	
ד	달렛		ע	아인	
ה	헤		פ	페	ף
ו	바브		צ	차디	ץ
ז	자인		ק	코프	
ח	헤트		ר	레쉬	
ט	테트		שׂ	신	
י	요드		שׁ	쉰	
כ	카프	ך	ת	타브	
ל	라메드				

히브리어 알파벳송

알 - 렙 벳 기-믈 달 - 렛 헤 바 - 브 자 - 인 헬 테 - 트 요-드 카-프

א ב ג ד ה ו ז ח ט י כ

라-메드 멤 - 눈 - 싸 - 멕 아인 페 차 - 디 코프 레 - 쉬 신 쉰 타 - 브

ל מ נ ס ע פ צ ק ר שׂ שׁ ת

히브리어 모음 vowel

	A 아	E 에	I 이	O 오	U 우
장모음	אָ	אֵ		אֹ	
	카메츠	체레		홀렘	
		אֵי	אִי	אוֹ	אוּ
		체레요드	히렉요드	홀렘바브	슈렉
반모음	אֲ	אֱ		אֳ	
	하텝파타	하텝세골		하텝카메츠	
단모음	אַ	אֶ	אִ	אָ	אֻ
	파타	세골	히렉	카메츠하툽	케부츠
		אְ			
		쉐바			
י가 자음으로 쓰일 때	יָ יַ	יֶ יְ יֵ	יִ	יֹ יוֹ	יוּ יֻ
	야	예	이	요	유

히브리어 모음 vowel 은 단순합니다. 아, 에, 이, 오, 우 발음밖에 없습니다. 하지만, 그 형태가 몇 가지 있는데, 장모음, 단모음, 반모음 등으로 나누어집니다. 장모음은 말 그대로 길게 소리를 내는 모음입니다. 단모음은 짧게 소리를 내는 모음입니다. 그러나 현대에는 장 · 단모음과 반모음을 크게 구분하여 사용하지는 않는다고 합니다. 다만, :쉐바 발음은 조금 주의가 필요합니다. :쉐바는 '에' 발음일 때도 있지만, 묵음이 되는 경우도 있기 때문입니다.

제 2 권

42 편 ~ 72 편

42 WLC

1 לַמְנַצֵּחַ מַשְׂכִּיל לִבְנֵי־קֹרַח׃

2 כְּאַיָּל תַּעֲרֹג עַל־אֲפִיקֵי־מָיִם כֵּן נַפְשִׁי תַעֲרֹג אֵלֶיךָ אֱלֹהִים׃

3 צָמְאָה נַפְשִׁי ׀ לֵאלֹהִים לְאֵל חָי מָתַי אָבוֹא וְאֵרָאֶה פְּנֵי אֱלֹהִים׃

4 הָיְתָה־לִּי דִמְעָתִי לֶחֶם יוֹמָם וָלָיְלָה בֶּאֱמֹר אֵלַי כָּל־הַיּוֹם אַיֵּה אֱלֹהֶיךָ׃

5 אֵלֶּה אֶזְכְּרָה ׀ וְאֶשְׁפְּכָה עָלַי ׀ נַפְשִׁי כִּי אֶעֱבֹר ׀ בַּסָּךְ אֶדַּדֵּם עַד־בֵּית אֱלֹהִים בְּקוֹל־רִנָּה וְתוֹדָה הָמוֹן חוֹגֵג׃

6 מַה־תִּשְׁתּוֹחֲחִי ׀ נַפְשִׁי וַתֶּהֱמִי עָלָי הוֹחִילִי לֵאלֹהִים כִּי־עוֹד אוֹדֶנּוּ יְשׁוּעוֹת פָּנָיו׃

맛싸성경

1(히, 42:1) [지휘자를 위한 고라 자손의 마스길] **(2)** (어린) 사슴이 시냇물을 갈망하듯이 그렇게 내 영혼도 주를 갈망하나이다. 하나님이시여! **2(3)** 내 영혼이 하나님 (곧) 살아계신 하나님을 목말라하나니 언제 내가 가서 하나님의 얼굴을 뵙겠나이까? **3(4)** 하루 종일 내게 "네 하나님이 어디에 있느냐?"고 말할 때 내 눈물이 내게 낮과 밤으로 양식이 되었나이다. **4(5)** 내가 이것들을 기억하며 또 내가 내 속에서 내 마음을 쏟아붓나이다. 내가 군중들 사이를 지나갔으며 그들을 하나님의 집까지 인도하였으니 무리들이 큰 소리와 감사로 절기를 지킨 것이나이다. **5(6)** 내 영혼아, 너는 어찌하여 낙심하며 내 안에서 흔들리고 있느냐? 하나님을 기다려라(바라라). 이는 내가 아직도 그분의 얼굴의 구원을 찬양할 것이기 때문이로다.

NET

1(H 42:1) For the music director, a well-written song by the Korahites. **(2)** As a deer longs for streams of water, so I long for you, O God! **2(3)** I thirst for God, for the living God. I say, "When will I be able to go and appear in God's presence?" **3(4)** I cannot eat; I weep day and night. All day long they say to me, "Where is your God?" **4(5)** I will remember and weep. For I was once walking along with the great throng to the temple of God, shouting and giving thanks along with the crowd as we celebrated the holy festival. **5(6)** Why are you depressed, O my soul? Why are you upset? Wait for God! For I will again give thanks to my God for his saving intervention.

42 WLC

7 אֱלֹהַי עָלַי נַפְשִׁי תִשְׁתּוֹחָח עַל־כֵּן אֶזְכָּרְךָ מֵאֶרֶץ יַרְדֵּן וְחֶרְמוֹנִים מֵהַר מִצְעָר׃

8 תְּהוֹם־אֶל־תְּהוֹם קוֹרֵא לְקוֹל צִנּוֹרֶיךָ כָּל־מִשְׁבָּרֶיךָ וְגַלֶּיךָ עָלַי עָבָרוּ׃

9 יוֹמָם ׀ יְצַוֶּה יְהוָה ׀ חַסְדּוֹ וּבַלַּיְלָה [שִׁירֹה כ] (שִׁירוֹ ק) עִמִּי תְּפִלָּה לְאֵל חַיָּי׃

10 אוֹמְרָה ׀ לְאֵל סַלְעִי לָמָה שְׁכַחְתָּנִי לָמָּה־קֹדֵר אֵלֵךְ בְּלַחַץ אוֹיֵב׃

11 בְּרֶצַח ׀ בְּעַצְמוֹתַי חֵרְפוּנִי צוֹרְרָי בְּאָמְרָם אֵלַי כָּל־הַיּוֹם אַיֵּה אֱלֹהֶיךָ׃

12 מַה־תִּשְׁתּוֹחֲחִי ׀ נַפְשִׁי וּמַה־תֶּהֱמִי עָלָי הוֹחִילִי לֵאלֹהִים כִּי־עוֹד אוֹדֶנּוּ יְשׁוּעֹת פָּנַי וֵאלֹהָי׃

맛싸성경

6(히, 42:7) 나의 하나님이시여! 내 영혼이 내 안에서 낙심하고 있으므로 요단 땅과 헤르몬과 미살(미츠알) 산에서부터 나는 주를 기억하겠나이다. **7(8)** 주의 폭포 소리에 깊은 바다가 깊은 바다를 부르며 주의 모든 파도들과 주의 물결들이 내 위로 지나가나이다. **8(9)** 낮에는 여호와가 그분의 인애를 명령하시고 밤에는 그분의 노래가 나와 함께 있으며 나의 생명의 하나님께 (드리는) 기도도 있나이다. **9(10)** 나의 반석이신 하나님께 내가 말하나이다. "어찌하여 주께서 나를 잊으시며 어찌하여 내가 원수의 압제로 (상복을 입고) 슬프게 다녀야 하나이까?" **10(11)** 내 뼈들의 심한 상처처럼 내 대적들은 나를 조롱하며 온종일 "네 하나님이 어디에 있느냐?"고 내게 말하나이다. **11(12)** 내 영혼아, 너는 어찌하여 낙심하며 어찌하여 내 안에서 흔들리고 있느냐? 하나님을 기다려라(바라라). 이는 내가 아직도 내 얼굴의 구원과 내 하나님을 찬양할 것이기 때문이로다.

NET

6(H 42:7) I am depressed, so I will pray to you while in the region of the upper Jordan, from Hermon, from Mount Mizar. **7(8)** One deep stream calls out to another at the sound of your waterfalls; all your billows and waves overwhelm me. **8(9)** By day the Lord decrees his loyal love, and by night he gives me a song, a prayer to the God of my life. **9(10)** I will pray to God, my high ridge: "Why do you ignore me? Why must I walk around mourning because my enemies oppress me?" **10(11)** My enemies' taunts cut me to the bone, as they say to me all day long, "Where is your God?" **11(12)** Why are you depressed, O my soul? Why are you upset? Wait for God! For I will again give thanks to my God for his saving intervention.

43 WLC

1 שָׁפְטֵנִי אֱלֹהִים ׀ וְרִיבָה רִיבִי מִגּוֹי לֹא־חָסִיד מֵאִישׁ־מִרְמָה וְעַוְלָה תְפַלְּטֵנִי׃

2 כִּי־אַתָּה ׀ אֱלֹהֵי מָעוּזִּי לָמָה זְנַחְתָּנִי לָמָּה־קֹדֵר אֶתְהַלֵּךְ בְּלַחַץ אוֹיֵב׃

3 שְׁלַח־אוֹרְךָ וַאֲמִתְּךָ הֵמָּה יַנְחוּנִי יְבִיאוּנִי אֶל־הַר־קָדְשְׁךָ וְאֶל־מִשְׁכְּנוֹתֶיךָ׃

4 וְאָבוֹאָה ׀ אֶל־מִזְבַּח אֱלֹהִים אֶל־אֵל שִׂמְחַת גִּילִי וְאוֹדְךָ בְכִנּוֹר אֱלֹהִים אֱלֹהָי׃

5 מַה־תִּשְׁתּוֹחֲחִי ׀ נַפְשִׁי וּמַה־תֶּהֱמִי עָלָי הוֹחִילִי לֵאלֹהִים כִּי־עוֹד אוֹדֶנּוּ יְשׁוּעֹת פָּנַי וֵאלֹהָי׃

맛싸성경

1 하나님이시여! 나를 판결하셔서 경건하지 못한 나라들로부터 내 소송으로 소송하여 주소서. 사기 치고 불의한 사람으로부터 나를 구하여 주옵소서. 2 이는 주께서는 내 피난처 되신 하나님이신데 어찌하여 주께서 나를 버리셔서 어찌하여 대적의 압제로 인해서 (상복을 입고) 슬프게 돌아다녀야 하나이까? 3 주의 빛과 주의 진리를 보내 주셔서 그것들이 나를 인도하게 하시고 나로 주의 거룩한 산과 주의 거하시는 곳으로 들어가게 하소서. 4 그러면 나는 하나님의 제단 (곧) 내 즐거움의 기쁨이신 하나님께로 나아가리이다. 하나님 곧 나의 하나님이시여! 내가 킨노르(수금)로 주를 찬양하겠나이다. 5 내 영혼아, 너는 어찌하여 낙심하며 어찌하여 내 안에서 흔들리고 있느냐? 하나님을 기다려라(바라라).이는 내가 아직도 내 얼굴의 구원(자)와 내 하나님을 찬양할 것이기 때문이로다.

NET

1 Vindicate me, O God! Fight for me against an ungodly nation. Deliver me from deceitful and evil men. 2 For you are the God who shelters me. Why do you reject me? Why must I walk around mourning because my enemies oppress me? 3 Reveal your light and your faithfulness. They will lead me; they will escort me back to your holy hill, and to the place where you live. 4 Then I will go to the altar of God, to the God who gives me ecstatic joy, so that I may express my thanks to you, O God, my God, with a harp. 5 Why are you depressed, O my soul? Why are you upset? Wait for God! For I will again give thanks to my God for his saving intervention.

44 WLC

1 לַמְנַצֵּחַ לִבְנֵי־קֹרַח מַשְׂכִּיל:

2 אֱלֹהִים ׀ בְּאָזְנֵינוּ שָׁמַעְנוּ אֲבוֹתֵינוּ סִפְּרוּ־לָנוּ פֹּעַל פָּעַלְתָּ בִימֵיהֶם בִּימֵי קֶדֶם:

3 אַתָּה ׀ יָדְךָ גּוֹיִם הוֹרַשְׁתָּ וַתִּטָּעֵם תָּרַע לְאֻמִּים וַתְּשַׁלְּחֵם:

4 כִּי לֹא בְחַרְבָּם יָרְשׁוּ אָרֶץ וּזְרוֹעָם לֹא־הוֹשִׁיעָה לָּמוֹ כִּי־יְמִינְךָ וּזְרוֹעֲךָ
וְאוֹר פָּנֶיךָ כִּי רְצִיתָם:

5 אַתָּה־הוּא מַלְכִּי אֱלֹהִים צַוֵּה יְשׁוּעוֹת יַעֲקֹב:

6 בְּךָ צָרֵינוּ נְנַגֵּחַ בְּשִׁמְךָ נָבוּס קָמֵינוּ:

7 כִּי לֹא בְקַשְׁתִּי אֶבְטָח וְחַרְבִּי לֹא תוֹשִׁיעֵנִי:

8 כִּי הוֹשַׁעְתָּנוּ מִצָּרֵינוּ וּמְשַׂנְאֵינוּ הֱבִישׁוֹתָ:

9 בֵּאלֹהִים הִלַּלְנוּ כָל־הַיּוֹם וְשִׁמְךָ ׀ לְעוֹלָם נוֹדֶה סֶלָה:

맛싸성경

1(히, 44:1) [지휘자를 위한 고라 자손의 마스길] **(2)** 하나님이시여! 우리는 우리 귀로 들었으며 우리 아버지(조상)들이 우리에게 전해주었으니 오래전 그들의 날들에 주께서 행하신 일이나이다. **2(3)** 주께서 주의 손으로 민족들을 파괴하셨으나 (그들을) 심으셨나이다. 주께서 (다른 나라) 사람들을 괴롭게 하셨으나 그들을 (자유롭게) 내보내셨나이다. **3(4)** 이는 그들의 칼로 땅을 소유한 것도 아니고 그들의 팔이 그들을 구원한 것도 아니니이다. 이는 주의 오른손과 주의 팔과 주의 얼굴(들)의 빛으로 함이니 이는 주께서 그들을 기뻐하셨음이니이다. **4(5)** 하나님이시여! 당신은 내 왕이시니 야곱을 위한 구원을 명령하소서. **5(6)** 주안에서 우리가 우리 대적자들을 찌르고 주의 이름으로 우리가 우리를 (대하여) 일어나는 자들을 밟아 버릴 것이니이다. **6(7)** 이는 나는 내 활을 신뢰하지 않으며 내 칼도 나를 구원하지 못할 것이니이다. **7(8)** 이는 주께서 우리 대적자들로부터 우리들을 구원하시고 우리를 미워하는 자들을 부끄럽게 하셨음이니이다. **8(9)** 하나님 안에서 우리는 온종일 자랑하였으며 주의 이름을 우리가 영원히 찬양하리이다. 셀라.

NET

1(H 44:1) For the music director, by the Korahites; a well-written song. **(2)** O God, we have clearly heard; our ancestors have told us what you did in their days, in ancient times. **2(3)** You, by your power, defeated nations and settled our fathers on their land; you crushed the people living there and enabled our ancestors to occupy it. **3(4)** For they did not conquer the land by their swords, and they did not prevail by their strength, but rather by your power, strength, and good favor, for you were partial to them. **4(5)** You are my king, O God. Decree Jacob's deliverance. **5(6)** By your power we will drive back our enemies; by your strength we will trample down our foes. **6(7)** For I do not trust in my bow, and I do not prevail by my sword. **7(8)** For you deliver us from our enemies; you humiliate those who hate us. **8(9)** In God we boast all day long, and we will continually give thanks to your name. (Selah)

44 WLC

10 אַף־זָנַחְתָּ וַתַּכְלִימֵנוּ וְלֹא־תֵצֵא בְּצִבְאוֹתֵינוּ׃

11 תְּשִׁיבֵנוּ אָחוֹר מִנִּי־צָר וּמְשַׂנְאֵינוּ שָׁסוּ לָמוֹ׃

12 תִּתְּנֵנוּ כְּצֹאן מַאֲכָל וּבַגּוֹיִם זֵרִיתָנוּ׃

13 תִּמְכֹּר־עַמְּךָ בְלֹא־הוֹן וְלֹא־רִבִּיתָ בִּמְחִירֵיהֶם׃

14 תְּשִׂימֵנוּ חֶרְפָּה לִשְׁכֵנֵינוּ לַעַג וָקֶלֶס לִסְבִיבוֹתֵינוּ׃

15 תְּשִׂימֵנוּ מָשָׁל בַּגּוֹיִם מְנוֹד־רֹאשׁ בַּל־אֻמִּים׃

16 כָּל־הַיּוֹם כְּלִמָּתִי נֶגְדִּי וּבֹשֶׁת פָּנַי כִּסָּתְנִי׃

17 מִקּוֹל מְחָרֵף וּמְגַדֵּף מִפְּנֵי אוֹיֵב וּמִתְנַקֵּם׃

18 כָּל־זֹאת בָּאַתְנוּ וְלֹא שְׁכַחֲנוּךָ וְלֹא־שִׁקַּרְנוּ בִּבְרִיתֶךָ׃

맛싸성경

9(히, 44:10) 그러나 주께서 우리를 버리셨고 우리를 부끄럽게 하셨으며 우리들의 군대들과 함께 나가지 않으셨나이다. **10(11)** 주께서 우리들을 대적자 앞에서 뒤로 돌아서게 하셨으며 우리를 미워하는 자들이 그들을 위하여 약탈하였나이다. **11(12)** 주께서 우리들을 양같이 양식으로 내어주셨고 나라들 가운데로 우리들을 흩으셨나이다. **12(13)** 주께서 주의 백성을 싼 값에 파셨으며 그(들의) 판 가격은 많게 하지 않으셨나이다. **13(14)** 주께서 우리들을 우리 이웃사람에게 치욕거리로 두셨으며 우리들의 주위에 있는 자들에게 비웃음과 조롱거리로 두셨나이다. **14(15)** 주께서 우리들을 민족들 가운데 이야깃거리로 두시고 사람들 중에서 머리 흔들기로 두셨나이다. **15(16)** 내 모욕이 내 앞에 온종일 있으며 내 얼굴의 부끄러움이 나를 덮었으니 **16(17)** 조롱하고 욕하는 자의 음성 때문이며 원수와 복수하려는 자들 때문이니이다. **17(18)** 이 모든 것들이 우리에게 임하였으나 우리는 주를 잊지 않았으며 주의 언약에 대하여 신의를 저버리지 않았나이다.

NET

9(H 44:10) But you rejected and embarrassed us. You did not go into battle with our armies. **10(11)** You made us retreat from the enemy. Those who hate us take whatever they want from us. **11(12)** You handed us over like sheep to be eaten; you scattered us among the nations. **12(13)** You sold your people for a pittance; you did not ask a high price for them. **13(14)** You made us an object of disdain to our neighbors; those who live on our borders taunt and insult us. **14(15)** You made us an object of ridicule among the nations; foreigners treat us with contempt. **15(16)** All day long I feel humiliated and am overwhelmed with shame, **16(17)** before the vindictive enemy who ridicules and insults me. **17(18)** All this has happened to us, even though we have not rejected you or violated your covenant with us.

44 WLC

19 לֹא־נָסוֹג אָחוֹר לִבֵּנוּ וַתֵּט אֲשֻׁרֵינוּ מִנִּי אָרְחֶךָ׃

20 כִּי דִכִּיתָנוּ בִּמְקוֹם תַּנִּים וַתְּכַס עָלֵינוּ בְצַלְמָוֶת׃

21 אִם־שָׁכַחְנוּ שֵׁם אֱלֹהֵינוּ וַנִּפְרֹשׂ כַּפֵּינוּ לְאֵל זָר׃

22 הֲלֹא אֱלֹהִים יַחֲקָר־זֹאת כִּי־הוּא יֹדֵעַ תַּעֲלֻמוֹת לֵב׃

23 כִּי־עָלֶיךָ הֹרַגְנוּ כָל־הַיּוֹם נֶחְשַׁבְנוּ כְּצֹאן טִבְחָה׃

24 עוּרָה ׀ לָמָּה תִישַׁן ׀ אֲדֹנָי הָקִיצָה אַל־תִּזְנַח לָנֶצַח׃

25 לָמָּה־פָנֶיךָ תַסְתִּיר תִּשְׁכַּח עָנְיֵנוּ וְלַחֲצֵנוּ׃

26 כִּי שָׁחָה לֶעָפָר נַפְשֵׁנוּ דָּבְקָה לָאָרֶץ בִּטְנֵנוּ׃

27 קוּמָה עֶזְרָתָה לָּנוּ וּפְדֵנוּ לְמַעַן חַסְדֶּךָ׃

맛싸성경

18(히, 44:19) 우리 마음이 뒤로 물러서지 않았으며 우리 걸음이 주의 길에서부터 틀지(벗어나지) 않았나이다. **19(20)** 그러나 주께서 우리들을 이리떼들의 장소에서 짓눌리게 하셨고 우리 위를 죽음의 그늘로 덮으셨나이다. **20(21)** 만일 우리가 우리 하나님의 이름을 잊었거나 우리 손들이 이방신에게로 폈다면 **21(22)** 하나님께서 그것을 찾아내지 않겠나이까? 이는 주께서 마음의 비밀을 알고 계심이니이다. **22(23)** 이는 우리가 주를 위하여 온종일 죽임을 당하며 도살당할 양같이 여겨졌나이다. **23(24)** 주님이시여! 깨소서. 어찌하여 주께서 주무시나이까? 일어나셔서 우리를 영영히 버리지 마소서. **24(25)** 어찌하여 주의 얼굴(들)을 주께서 감추시고 우리의 비참함과 우리의 압제를 잊으시나이까? **25(26)** 이는 우리들의 생명은 흙으로 사라졌고 우리들의 배는 땅에 붙었나이다. **26(27)** 일어나셔서 우리를 도우소서. 주의 인애를 위하여 우리를 속전하소서.

NET

18(H 44:19) We have not been unfaithful, nor have we disobeyed your commands. **19(20)** Yet you have battered us, leaving us a heap of ruins overrun by wild dogs; you have covered us with darkness. **20(21)** If we had rejected our God, and spread out our hands in prayer to another god, **21(22)** would not God discover it, for he knows a person's secret thoughts? **22(23)** Yet because of you we are killed all day long; we are treated like sheep at the slaughtering block. **23(24)** Rouse yourself! Why do you sleep, O Lord? Wake up! Do not reject us forever. **24(25)** Why do you look the other way, and ignore the way we are oppressed and mistreated? **25(26)** For we lie in the dirt, with our bellies pressed to the ground. **26(27)** Rise up and help us. Rescue us because of your loyal love.

45 WLC

1 לַמְנַצֵּחַ עַל־שֹׁשַׁנִּים לִבְנֵי־קֹרַח מַשְׂכִּיל שִׁיר יְדִידֹת׃

2 רָחַשׁ לִבִּי ׀ דָּבָר טוֹב אֹמֵר אָנִי מַעֲשַׂי לְמֶלֶךְ לְשׁוֹנִי עֵט ׀ סוֹפֵר מָהִיר׃

3 יָפְיָפִיתָ מִבְּנֵי אָדָם הוּצַק חֵן בְּשְׂפְתוֹתֶיךָ עַל־כֵּן בֵּרַכְךָ אֱלֹהִים לְעוֹלָם׃

맛싸성경

1(히, 45:1) [지휘자를 위한 쇼산님(백합화)으로 고라의 아들들을 위한 마스길. 사랑의 노래] **(2)** 내 마음은 감동을 받아 좋은 말을 내가 왕을 위하여 (만든) 노래로 말하니 내 혀는 기술 있는 서기관의 펜이니이다. **2(3)** 왕은 사람의 아들(자손)들보다 아름다우며 그 입술에는 은혜가 부어져 있으니 그러므로 하나님이 왕에게 영원히 복 주셨나이다.

NET

1(H 45:1) For the music director, according to the tune of "Lilies"; by the Korahites, a well-written poem, a love song. **(2)** My heart is stirred by a beautiful song. I say, "I have composed this special song for the king; my tongue is as skilled as the stylus of an experienced scribe." **2(3)** You are the most handsome of all men. You speak in an impressive and fitting manner. For this reason God grants you continual blessings.

45 WLC

4 חֲגוֹר־חַרְבְּךָ עַל־יָרֵךְ גִּבּוֹר הוֹדְךָ וַהֲדָרֶךָ׃

5 וַהֲדָרְךָ ׀ צְלַח רְכַב עַל־דְּבַר־אֱמֶת וְעַנְוָה־צֶדֶק וְתוֹרְךָ נוֹרָאוֹת יְמִינֶךָ׃

6 חִצֶּיךָ שְׁנוּנִים עַמִּים תַּחְתֶּיךָ יִפְּלוּ בְּלֵב אוֹיְבֵי הַמֶּלֶךְ׃

7 כִּסְאֲךָ אֱלֹהִים עוֹלָם וָעֶד שֵׁבֶט מִישֹׁר שֵׁבֶט מַלְכוּתֶךָ׃

8 אָהַבְתָּ צֶּדֶק וַתִּשְׂנָא רֶשַׁע עַל־כֵּן ׀ מְשָׁחֲךָ אֱלֹהִים אֱלֹהֶיךָ שֶׁמֶן שָׂשׂוֹן מֵחֲבֵרֶיךָ׃

9 מֹר־וַאֲהָלוֹת קְצִיעוֹת כָּל־בִּגְדֹתֶיךָ מִן־הֵיכְלֵי שֵׁן מִנִּי שִׂמְּחוּךָ׃

맛싸성경

3(H 45:4) 오, 용사여, 당신의 위엄과 (주의) 존귀와 당신의 칼을 (당신의) 허리에 차소서. **4(5)** 또 당신의 존귀로 성공(진행)하시며 진리와 겸손과 의의 일을 위하여 타소서. 그리고 당신의 오른손으로 놀라운 것들을 가르치소서. **5(6)** 당신(왕)의 화살들은 갈렸으니(날카롭게 되었으니) 백성들이 당신(왕) 밑에서 넘어지고 왕의 원수들의 심장에는 그것(화살)들이 있게 될 것이라. **6(7)** 하나님이시여! 주의 보좌는 영원무궁할 것이니 공정의 홀이 주의 왕국의 홀이니이다. **7(8)** 당신(왕)이 의를 사랑하시고 악을 미워하시나이다. 그러므로 하나님 곧 당신(왕)의 하나님이 당신(왕)에게 기쁨의 기름으로 기름을 부으셔서 당신(왕)의 동료들보다 낫게 하셨나이다. **8(9)** 당신(왕)의 모든 옷들은 몰약과 알로에들과 계피들이며 상아 궁전들로부터 (나오는) 현악 줄들은 당신(왕)을 기쁘게 하도다.

NET

3(H 45:4) Strap your sword to your thigh, O warrior. Appear in your majestic splendor. **4(5)** Appear in your majesty and be victorious. Ride forth for the sake of what is right, on behalf of justice. Then your right hand will accomplish mighty acts. **5(6)** Your arrows are sharp and penetrate the hearts of the king's enemies. Nations fall at your feet. **6(7)** Your throne, O God, is permanent. The scepter of your kingdom is a scepter of justice. **7(8)** You love justice and hate evil. For this reason God, your God, has anointed you with the oil of joy, elevating you above your companions. **8(9)** All your garments are perfumed with myrrh, aloes, and cassia. From the luxurious palaces comes the music of stringed instruments that makes you happy.

45 WLC

10 בְּנוֹת מְלָכִים בְּיִקְּרוֹתֶיךָ נִצְּבָה שֵׁגַל לִימִינְךָ בְּכֶתֶם אוֹפִיר׃

11 שִׁמְעִי־בַת וּרְאִי וְהַטִּי אָזְנֵךְ וְשִׁכְחִי עַמֵּךְ וּבֵית אָבִיךְ׃

12 וְיִתְאָו הַמֶּלֶךְ יָפְיֵךְ כִּי־הוּא אֲדֹנַיִךְ וְהִשְׁתַּחֲוִי־לוֹ׃

13 וּבַת־צֹר ׀ בְּמִנְחָה פָּנַיִךְ יְחַלּוּ עֲשִׁירֵי עָם׃

14 כָּל־כְּבוּדָּה בַת־מֶלֶךְ פְּנִימָה מִמִּשְׁבְּצוֹת זָהָב לְבוּשָׁהּ׃

15 לִרְקָמוֹת תּוּבַל לַמֶּלֶךְ בְּתוּלוֹת אַחֲרֶיהָ רֵעוֹתֶיהָ מוּבָאוֹת לָךְ׃

16 תּוּבַלְנָה בִּשְׂמָחֹת וָגִיל תְּבֹאֶינָה בְּהֵיכַל מֶלֶךְ׃

17 תַּחַת אֲבֹתֶיךָ יִהְיוּ בָנֶיךָ תְּשִׁיתֵמוֹ לְשָׂרִים בְּכָל־הָאָרֶץ׃

18 אַזְכִּירָה שִׁמְךָ בְּכָל־דֹּר וָדֹר עַל־כֵּן עַמִּים יְהוֹדֻךָ לְעֹלָם וָעֶד׃

맛싸성경

9(히, 45:10) 당신(왕)의 소중한 여자들 중에는 왕들의 딸들이 있으며 당신(왕)의 오른 편에는 오빌의 금으로 (장식한) 왕후가 서 있나이다. **10(11)** 딸이여, 듣고 보고 네 귀를 기울여라. 네 백성과 네 아버지의 집을 잊어버려라. **11(12)** 그러면 왕이 네 아름다움을 원할 것이라. 이는 그가 네 주님이시기 때문이니 너는 그에게 꿇어라. **12(13)** 두로 딸이 선물로 오고 백성의 부유한 자들이 네 얼굴 보기를 원할 것이라. **13(14)** 왕의 딸은 (궁중) 안에서 모든 영광이 있으며 그 여자의 옷은 금으로 장식되어 있도다. **14(15)** 그 여자는 여러 가지 색 (옷 입은) 왕에게로 인도되며 그 여자 뒤를 따라 그 여자의 처녀 동료들도 당신(왕)에게 갈 것이라. **15(16)** 그들은 즐거움과 기쁨으로 인도되어 왕의 궁으로 들어갈 것이라. **16(17)** 당신(왕)의 아들(왕자)들이 당신(왕)의 아버지(조상)들을 잇게 될 것이니 당신(왕)이 왕자들에게 모든 땅을 통치하게 하실 것이라. **17(18)** 내가 당신(왕)의 이름을 모든 세대를 통해서 기억되도록 하겠으니 그러므로 백성들이 당신(왕)을 영원 무궁히 칭송할 것이라.

NET

9(H 45:10) Princesses are among your honored women. Your bride stands at your right hand, wearing jewelry made with gold from Ophir. **10(11)** Listen, O princess. Observe and pay attention! Forget your homeland and your family. **11(12)** Then the king will be attracted by your beauty. After all, he is your master. Submit to him. **12(13)** Rich people from Tyre will seek your favor by bringing a gift. **13(14)** The princess looks absolutely magnificent, decked out in pearls and clothed in a brocade trimmed with gold. **14(15)** In embroidered robes she is escorted to the king. Her attendants, the maidens of honor who follow her, are led before you. **15(16)** They are bubbling with joy as they walk in procession and enter the royal palace. **16(17)** Your sons will carry on the dynasty of your ancestors; you will make them princes throughout the land. **17(18)** I will proclaim your greatness through the coming years, then the nations will praise you forever.

46 WLC

1 לַמְנַצֵּחַ לִבְנֵי־קֹרַח עַל־עֲלָמוֹת שִׁיר׃

2 אֱלֹהִים לָנוּ מַחֲסֶה וָעֹז עֶזְרָה בְצָרוֹת נִמְצָא מְאֹד׃

3 עַל־כֵּן לֹא־נִירָא בְּהָמִיר אָרֶץ וּבְמוֹט הָרִים בְּלֵב יַמִּים׃

4 יֶהֱמוּ יֶחְמְרוּ מֵימָיו יִרְעֲשׁוּ־הָרִים בְּגַאֲוָתוֹ סֶלָה׃

5 נָהָר פְּלָגָיו יְשַׂמְּחוּ עִיר־אֱלֹהִים קְדֹשׁ מִשְׁכְּנֵי עֶלְיוֹן׃

6 אֱלֹהִים בְּקִרְבָּהּ בַּל־תִּמּוֹט יַעְזְרֶהָ אֱלֹהִים לִפְנוֹת בֹּקֶר׃

7 הָמוּ גוֹיִם מָטוּ מַמְלָכוֹת נָתַן בְּקוֹלוֹ תָּמוּג אָרֶץ׃

8 יְהוָה צְבָאוֹת עִמָּנוּ מִשְׂגָּב־לָנוּ אֱלֹהֵי יַעֲקֹב סֶלָה׃

맛싸성경

1(히, 46:1) [지휘자를 위한 알라못에 맞춘 고라 자손의 시] **(2)** 하나님은 우리를 위한 피난처와 힘이시며 곤란 중에서 항상 만나는 도움이시다. **2(3)** 그러므로 우리는 두려워하지 않을 것이니 (곧) 땅이 변하고 산(들)이 흔들려 바다의 가운데 있고 **3(4)** 그 물들이 큰 소리를 내고 거품을 일게 하여 산(들)이 그 노호함으로 진동하여도 (두려워하지 않을 것이라). 셀라. **4(5)** 하나의 강 (곧) 그 수로가 하나님의 도시 (곧) 지극히 높은 자의 성막인 거룩한 곳을 기쁘게 할 것이라. **5(6)** 하나님이 그 가운데 계시니 그것(도시)은 흔들리지 않을 것이며 아침이 올 때 하나님이 그것을 도울 것이라. **6(7)** 나라들이 큰 소리를 내고 왕국들이 흔들리며 그분이 그분의 목소리를 내시니 땅도 녹아내리도다. **7(8)** 만군의 여호와가 우리와 함께 계시고 야곱의 하나님은 우리를 위한 피난처이시라. 셀라.

NET

1(H 46:1) For the music director, by the Korahites; according to the alamoth style; a song. **(2)** God is our strong refuge; he is truly our helper in times of trouble. **2(3)** For this reason we do not fear when the earth shakes, and the mountains tumble into the depths of the sea, **3(4)** when its waves crash and foam, and the mountains shake before the surging sea. (Selah) **4(5)** The river's channels bring joy to the city of God, the special, holy dwelling place of the Most High. **5(6)** God lives within it, it cannot be moved. God rescues it at the break of dawn. **6(7)** Nations are in uproar, kingdoms are overthrown. God gives a shout, the earth dissolves. **7(8)** The Lord of Heaven's Armies is on our side. The God of Jacob is our stronghold. (Selah)

46 WLC

9 לְכוּ־חֲזוּ מִפְעֲלוֹת יְהוָה אֲשֶׁר־שָׂם שַׁמּוֹת בָּאָרֶץ׃

10 מַשְׁבִּית מִלְחָמוֹת עַד־קְצֵה הָאָרֶץ קֶשֶׁת יְשַׁבֵּר וְקִצֵּץ חֲנִית עֲגָלוֹת יִשְׂרֹף בָּאֵשׁ׃

11 הַרְפּוּ וּדְעוּ כִּי־אָנֹכִי אֱלֹהִים אָרוּם בַּגּוֹיִם אָרוּם בָּאָרֶץ׃

12 יְהוָה צְבָאוֹת עִמָּנוּ מִשְׂגָּב־לָנוּ אֱלֹהֵי יַעֲקֹב סֶלָה׃

맛싸성경

8(히, 46:9) 와서 여호와의 업적을 보아라. 그분이 땅에 황폐함을 가져오게 하셨도다. **9(10)** 그분은 땅 끝까지 전쟁을 끝나게 하시고 활을 부수시며 창을 꺾으시고 수레들을 불로 태워버리시도다. **10(11)** 너희는 멈추고 내가 하나님인 것을 알아라. 내가 나라들 가운데 높임을 받고 땅에서도 높임을 받을 것이라. **11(12)** 만군의 여호와가 우리와 함께 계시고 야곱의 하나님은 우리를 위한 피난처이시라. 셀라.

NET

8(H 46:9) Come, Witness the exploits of the Lord, who brings devastation to the earth. **9(10)** He brings an end to wars throughout the earth. He shatters the bow and breaks the spear; he burns the shields with fire. **10(11)** He says, "Stop your striving and recognize that I am God. I will be exalted over the nations! I will be exalted over the earth!" **11(12)** The Lord of Heaven's Armies is on our side! The God of Jacob is our stronghold! (Selah)

47 WLC

1 לַמְנַצֵּחַ ׀ לִבְנֵי־קֹרַח מִזְמוֹר׃

2 כָּל־הָעַמִּים תִּקְעוּ־כָף הָרִיעוּ לֵאלֹהִים בְּקוֹל רִנָּה׃

3 כִּי־יְהוָה עֶלְיוֹן נוֹרָא מֶלֶךְ גָּדוֹל עַל־כָּל־הָאָרֶץ׃

4 יַדְבֵּר עַמִּים תַּחְתֵּינוּ וּלְאֻמִּים תַּחַת רַגְלֵינוּ׃

5 יִבְחַר־לָנוּ אֶת־נַחֲלָתֵנוּ אֶת גְּאוֹן יַעֲקֹב אֲשֶׁר־אָהֵב סֶלָה׃

6 עָלָה אֱלֹהִים בִּתְרוּעָה יְהוָה בְּקוֹל שׁוֹפָר׃

7 זַמְּרוּ אֱלֹהִים זַמֵּרוּ זַמְּרוּ לְמַלְכֵּנוּ זַמֵּרוּ׃

8 כִּי מֶלֶךְ כָּל־הָאָרֶץ אֱלֹהִים זַמְּרוּ מַשְׂכִּיל׃

9 מָלַךְ אֱלֹהִים עַל־גּוֹיִם אֱלֹהִים יָשַׁב ׀ עַל־כִּסֵּא קָדְשׁוֹ׃

10 נְדִיבֵי עַמִּים ׀ נֶאֱסָפוּ עַם אֱלֹהֵי אַבְרָהָם כִּי לֵאלֹהִים מָגִנֵּי־אֶרֶץ מְאֹד נַעֲלָה׃

맛싸성경

1(히, 47:1) [지휘자를 위한 고라 자손의 시] **(2)** 모든 백성들아, 손뼉을 치며 기쁨의 소리로 하나님께 외쳐라. **2(3)** 이는 가장 높으신 여호와는 두려우신 분이시며 그분은 모든 땅 위에서 위대하신 왕이시기 때문이라. **3(4)** 그분은 백성들을 우리 아래로 민족들을 우리 발아래로 굴복하게 하시도다. **4(5)** 그분은 우리를 위하여 우리의 유산을 선택해 주셨으니 그분이 사랑하시는 야곱의 자랑(영광)이로다. 셀라. **5(6)** 하나님이 기쁨의 소리로 오르셨고 여호와는 나팔 소리로 (오르셨도다). **6(7)** 노래하라. 하나님(께) 노래하라. 노래하라. 우리의 왕께 노래하라. **7(8)** 이는 하나님은 모든 땅의 왕이시라. 마스길로 노래하라. **8(9)** 하나님은 열방을 통치하시고 하나님은 그분의 거룩한 곳의 보좌 위에 앉아 계시도다. **9(10)** 백성(열방)들의 고관들이 모일 것이니 (이들은) 아브라함의 하나님의 백성이기 때문이라. 땅의 방패들은 하나님의 것이며 그분은 매우 높아지셨도다.

NET

1(H 47:1) For the music director, by the Korahites; a psalm. **(2)** All you nations, clap your hands. Shout out to God in celebration. **2(3)** For the Lord Most High is awe-inspiring; he is the great king who rules the whole earth! **3(4)** He subdued nations beneath us and countries under our feet. **4(5)** He picked out for us a special land to be a source of pride for Jacob, whom he loves. (Selah) **5(6)** God has ascended his throne amid loud shouts; the Lord has ascended amid the blaring of ram's horns. **6(7)** Sing to God! Sing! Sing to our king! Sing! **7(8)** For God is king of the whole earth. Sing a well-written song. **8(9)** God reigns over the nations. God sits on his holy throne. **9(10)** The nobles of the nations assemble, along with the people of the God of Abraham, for God has authority over the rulers of the earth. He is highly exalted.

48 WLC

1 שִׁיר מִזְמוֹר לִבְנֵי־קֹרַח׃

2 גָּדוֹל יְהוָה וּמְהֻלָּל מְאֹד בְּעִיר אֱלֹהֵינוּ הַר־קָדְשׁוֹ׃

3 יְפֵה נוֹף מְשׂוֹשׂ כָּל־הָאָרֶץ הַר־צִיּוֹן יַרְכְּתֵי צָפוֹן קִרְיַת מֶלֶךְ רָב׃

4 אֱלֹהִים בְּאַרְמְנוֹתֶיהָ נוֹדַע לְמִשְׂגָּב׃

5 כִּי־הִנֵּה הַמְּלָכִים נוֹעֲדוּ עָבְרוּ יַחְדָּו׃

6 הֵמָּה רָאוּ כֵּן תָּמָהוּ נִבְהֲלוּ נֶחְפָּזוּ׃

7 רְעָדָה אֲחָזָתַם שָׁם חִיל כַּיּוֹלֵדָה׃

8 בְּרוּחַ קָדִים תְּשַׁבֵּר אֳנִיּוֹת תַּרְשִׁישׁ׃

맛싸성경

(히, 48:1) [고라의 아들들을 위한 노래. 시] **1(2)** 여호와는 크시니 우리 하나님의 도시 그의 거룩한 산에서 매우 찬양을 받으실 것이라. **2(3)** 높은 곳에서 아름다우며 온 땅의 기쁨인 시온산은 위대한 왕의 도성이며 북쪽의 가장 끝에 있도다. **3(4)** 하나님은 그 왕궁에서 피난처로서 알려지셨도다. **4(5)** 이는 보아라, 왕들이 모였다가 그들이 다 같이 건너갔도다. **5(6)** 그들이 (그 것을) 보고 나서 그들은 두려움에 사로잡혔고 정신이 나가서 급히 도망했도다. **6(7)** 거기서 떨림이 그들을 붙들었으며 고통은 해산(하는 것)과 같도다. **7(8)** 주께서 그들을 동풍으로 타르쉬스의 배들(같이) 부수시도다.

NET

1(H 48:1) A song, a psalm by the Korahites. **(2)** The Lord is great and certainly worthy of praise in the city of our God, his holy hill. **2(3)** It is lofty and pleasing to look at, a source of joy to the whole earth. Mount Zion resembles the peaks of Zaphon; it is the city of the great king. **3(4)** God is in its fortresses; he reveals himself as its defender. **4(5)** For look, the kings assemble; they advance together. **5(6)** As soon as they see, they are shocked; they are terrified, they quickly retreat. **6(7)** Look at them shake uncontrollably, like a woman writhing in childbirth. **7(8)** With an east wind you shatter the large ships.

48 WLC

9 כַּאֲשֶׁר שָׁמַעְנוּ ׀ כֵּן רָאִינוּ בְּעִיר־יְהוָה צְבָאוֹת בְּעִיר אֱלֹהֵינוּ אֱלֹהִים יְכוֹנְנֶהָ עַד־עוֹלָם סֶלָה׃

10 דִּמִּינוּ אֱלֹהִים חַסְדֶּךָ בְּקֶרֶב הֵיכָלֶךָ׃

11 כְּשִׁמְךָ אֱלֹהִים כֵּן תְּהִלָּתְךָ עַל־קַצְוֵי־אֶרֶץ צֶדֶק מָלְאָה יְמִינֶךָ׃

12 יִשְׂמַח ׀ הַר־צִיּוֹן תָּגֵלְנָה בְּנוֹת יְהוּדָה לְמַעַן מִשְׁפָּטֶיךָ׃

13 סֹבּוּ צִיּוֹן וְהַקִּיפוּהָ סִפְרוּ מִגְדָּלֶיהָ׃

14 שִׁיתוּ לִבְּכֶם ׀ לְחֵילָה פַּסְּגוּ אַרְמְנוֹתֶיהָ לְמַעַן תְּסַפְּרוּ לְדוֹר אַחֲרוֹן׃

15 כִּי זֶה ׀ אֱלֹהִים אֱלֹהֵינוּ עוֹלָם וָעֶד הוּא יְנַהֲגֵנוּ עַל־מוּת׃

맛싸성경

8(히, 48:9) 우리가 들은 대로 그렇게 우리가 본 대로 우리 만군의 여호와의 도시와 우리 하나님의 도시에서 하나님이 그것을 영원히 견고케 하실 것이다. 셀라. **9(10)** 하나님이시여! 우리가 주의 인애를 주의 성전 가운데서 깊이 생각하나이다. **10(11)** 하나님이시여! 주의 이름같이 그렇게 주를 찬양하는 것이 땅 끝까지 이르나이다. 주의 오른손은 의로 가득 차 있나이다. **11(12)** 시온산이 즐거워하고 주의 심판을 위하여 유다의 딸들이 매우 기뻐할 것이라. **12(13)** 시온을 둘러보며 그 주위를 돌아다니며 그 망대들을 세어 보아라. **13(14)** 바깥 성벽을 너희 마음에 두고 그 왕궁을 지나가서(살펴서) 너희가 다음 세대에게 말하게 하여라. **14(15)** 이는 이 하나님은 영원무궁하신 우리들의 하나님이시며 그분은 우리들을 죽음까지 인도하실 것이기 때문이라.

NET

8(H 48:9) We heard about God's mighty deeds; now we have seen them, in the city of the Lord of Heaven's Armies, in the city of our God. God makes it permanently secure. (Selah) **9(10)** Within your temple we reflect on your loyal love, O God. **10(11)** The praise you receive as far away as the ends of the earth is worthy of your reputation, O God. You execute justice. **11(12)** Mount Zion rejoices; the towns of Judah are happy, because of your acts of judgment. **12(13)** Walk around Zion. Encircle it. Count its towers. **13(14)** Consider its defenses. Walk through its fortresses, so you can tell the next generation about it. **14(15)** For God, our God, is our defender forever. He guides us.

49 WLC

1 לַמְנַצֵּחַ ׀ לִבְנֵי־קֹרַח מִזְמוֹר׃

2 שִׁמְעוּ־זֹאת כָּל־הָעַמִּים הַאֲזִינוּ כָּל־יֹשְׁבֵי חָלֶד׃

3 גַּם־בְּנֵי אָדָם גַּם־בְּנֵי־אִישׁ יַחַד עָשִׁיר וְאֶבְיוֹן׃

4 פִּי יְדַבֵּר חָכְמוֹת וְהָגוּת לִבִּי תְבוּנוֹת׃

5 אַטֶּה לְמָשָׁל אָזְנִי אֶפְתַּח בְּכִנּוֹר חִידָתִי׃

6 לָמָּה אִירָא בִּימֵי רָע עֲוֺן עֲקֵבַי יְסוּבֵּנִי׃

7 הַבֹּטְחִים עַל־חֵילָם וּבְרֹב עָשְׁרָם יִתְהַלָּלוּ׃

8 אָח לֹא־פָדֹה יִפְדֶּה אִישׁ לֹא־יִתֵּן לֵאלֹהִים כָּפְרוֹ׃

9 וְיֵקַר פִּדְיוֹן נַפְשָׁם וְחָדַל לְעוֹלָם׃

맛싸성경

(히, 49:1) [지휘자를 위한 고라 자손의 시] **1(2)** 모든 백성들아, 이것을 들어라. 세상에 사는 모든 사람들아, 귀를 기울여라. **2(3)** (보통) 사람의 아들들도 (높은) 사람의 아들들도 부자도 궁핍한 자도 다 함께 (들을지어다). **3(4)** 내 입은 지혜를 말할 것이며 내 마음의 묵상은 이해력이 있을 것이라. **4(5)** 나는 내 귀를 잠언에 기울이며 내 수수께끼를 킨노르(수금)로 풀 것이라. **5(6)** 어찌하여 내가 악의 날을 두려워하며 내 발뒤꿈치에 나를 둘러싸는 어려운 날에 그리하겠는가? **6(7)** 그들은 그들의 재산을 신뢰하고 그들의 부의 많음을 자랑하나 **7(8)** (그들 중) 어떤 사람도 형제를 절대로 구속(대속)하지 못하고 그는 하나님께 그의 속전을 자기를 위해 드리지 못하는 것은 **8(9)** 그들의 생명의 구속 (값)은 비싸고 또 영원히 부족하기 때문이로다.

NET

1(H 49:1) For the music director, a psalm by the Korahites. **(2)** Listen to this, all you nations. Pay attention, all you inhabitants of the world. **2(3)** Pay attention, all you people, both rich and poor. **3(4)** I will declare a wise saying; I will share my profound thoughts. **4(5)** I will learn a song that imparts wisdom; I will then sing my insightful song to the accompaniment of a harp. **5(6)** Why should I be afraid in times of trouble, when the sinful deeds of deceptive men threaten to overwhelm me? **6(7)** They trust in their wealth and boast in their great riches. **7(8)** Certainly a man cannot rescue his brother; he cannot pay God an adequate ransom price **8(9)** (the ransom price for a human life is too high, and people go to their final destiny),

49 WLC

10 וִיחִי־ע֥וֹד לָנֶ֑צַח לֹ֖א יִרְאֶ֣ה הַשָּֽׁחַת׃

11 כִּ֤י יִרְאֶ֨ה ׀ חֲכָ֘מִ֤ים יָמ֗וּתוּ יַ֤חַד כְּסִ֣יל וָבַ֣עַר יֹאבֵ֑דוּ וְעָזְב֖וּ לַאֲחֵרִ֣ים חֵילָֽם׃

12 קִרְבָּ֤ם בָּתֵּ֨ימוֹ ׀ לְֽעוֹלָ֗ם מִ֭שְׁכְּנֹתָם לְדֹ֣ר וָדֹ֑ר קָֽרְא֥וּ בִ֝שְׁמוֹתָ֗ם עֲלֵ֣י אֲדָמֽוֹת׃

13 וְאָדָ֣ם בִּ֭יקָר בַּל־יָלִ֑ין נִמְשַׁ֖ל כַּבְּהֵמ֣וֹת נִדְמֽוּ׃

14 זֶ֣ה דַ֭רְכָּם כֵּ֣סֶל לָ֑מוֹ וְאַחֲרֵיהֶ֓ם ׀ בְּפִיהֶ֖ם יִרְצ֣וּ סֶֽלָה׃

15 כַּצֹּ֤אן ׀ לִשְׁא֣וֹל שַׁתּוּ֮ מָ֤וֶת יִ֫רְעֵ֥ם וַיִּרְדּ֘וּ בָ֤ם יְשָׁרִ֨ים ׀ לַבֹּ֗קֶר

[וְצִירָם כ] (וְצוּרָם ק) לְבַלּ֥וֹת שְׁא֗וֹל מִזְּבֻ֥ל לֽוֹ׃

16 אַךְ־אֱלֹהִ֗ים יִפְדֶּ֣ה נַ֭פְשִׁי מִֽיַּד־שְׁא֑וֹל כִּ֖י יִקָּחֵ֣נִי סֶֽלָה׃

맛싸성경

9(히, 49:10) 그는 아직도 영원히 살아서 무덤을 보지 않을 것인가? **10(11)** 이는 그는 지혜자들도 죽는 것도 보듯이 우둔한 자나 멍청한 자도 다같이 멸망할 것이라. 그들의 부를 다른 사람들에게 남길 것이라. **11(12)** 그들 속으로 (생각하기를) 그(들의) 집이 영원하다 하고 그들의 거처는 세대에서 세대까지 이른다 하며 그들의 자산(토지)을 자기들의 소유 (이름)으로 부르는도다. **12(13)** 그러나 사람은 귀하게만 사는 것이 아니라. 그는 멸망하는 짐승들과 같도다. **13(14)** 이것이 어리석은 자인 그들의 길이며 또 그들의 후에 오는 사람들은 그들의 말들에 기뻐하는도다. 셀라. **14(15)** 양같이 그들은 셰올에 두기로 하였으니 죽음이 그들을 먹일 것이라. 올바른 자들이 아침에 그들을 통치할 것이며 그들의 모습은 없어질 셰올이 되어 그에게 거하는 자가 없을 것이라. **15(16)** 그러나 하나님이 나의 생명을 셰올의 세력(손)에서부터 구속할 것이니 이는 그분이 나를 취하실 것이기 때문이라. 셀라.

NET

9(H 49:10) so that he might continue to live forever and not experience death. **10(11)** Surely one sees that even wise people die; fools and spiritually insensitive people all pass away and leave their wealth to others. **11(12)** Their grave becomes their permanent residence, their eternal dwelling place. They name their lands after themselves, **12(13)** but, despite their wealth, people do not last. They are like animals that perish. **13(14)** This is the destiny of fools, and of those who approve of their philosophy. (Selah) **14(15)** They will travel to Sheol like sheep, with death as their shepherd. The godly will rule over them when the day of vindication dawns. Sheol will consume their bodies, and they will no longer live in impressive houses. **15(16)** But God will rescue my life from the power of Sheol; certainly he will pull me to safety. (Selah)

49 WLC

17 אַל־תִּירָא כִּי־יַעֲשִׁר אִישׁ כִּי־יִרְבֶּה כְּבוֹד בֵּיתוֹ׃

18 כִּי לֹא בְמוֹתוֹ יִקַּח הַכֹּל לֹא־יֵרֵד אַחֲרָיו כְּבוֹדוֹ׃

19 כִּי־נַפְשׁוֹ בְּחַיָּיו יְבָרֵךְ וְיוֹדֻךָ כִּי־תֵיטִיב לָךְ׃

20 תָּבוֹא עַד־דּוֹר אֲבוֹתָיו עַד־נֵצַח לֹא יִרְאוּ־אוֹר׃

21 אָדָם בִּיקָר וְלֹא יָבִין נִמְשַׁל כַּבְּהֵמוֹת נִדְמוּ׃

맛싸성경

16(히, 49:17) 너는 (어떤) 사람이 부자가 될 때 두려워하지 말고 그의 집의 부가 증가할 때도 그리하라. **17(18)** 이는 그의 죽음에 그가 모든 것을 가져가지 못하고 그의 부(영광)가 그의 뒤를 따라서 내려가지 못하기 때문이라. **18(19)** 비록 그가 사는 동안에 자기 생명을 축복하고 네가 너를 위해 선을 행한다고 사람들이 너를 칭찬한다 하여도 **19(20)** 그도 자기의 아버지들의 세대로 가며 그들은 영원히 빛을 보지 못할 것이라. **20(21)** 사람이 귀하여도 그가 깨닫지 못하면 그는 멸망하는 짐승들과 같도다.

NET

16(H 49:17) Do not be afraid when a man becomes rich and his wealth multiplies. **17(18)** For he will take nothing with him when he dies; his wealth will not follow him down into the grave. **18(19)** He pronounces this blessing on himself while he is alive: “May men praise you, for you have done well.” **19(20)** But he will join his ancestors; they will never again see the light of day. **20(21)** Wealthy people do not understand; they are like animals that perish.

50 WLC

1 מִזְמוֹר לְאָסָף אֵל ׀ אֱלֹהִים יְהוָה דִּבֶּר וַיִּקְרָא־אָרֶץ מִמִּזְרַח־שֶׁמֶשׁ עַד־מְבֹאוֹ׃

2 מִצִּיּוֹן מִכְלַל־יֹפִי אֱלֹהִים הוֹפִיעַ׃

3 יָבֹא אֱלֹהֵינוּ וְאַל־יֶחֱרַשׁ אֵשׁ־לְפָנָיו תֹּאכֵל וּסְבִיבָיו נִשְׂעֲרָה מְאֹד׃

4 יִקְרָא אֶל־הַשָּׁמַיִם מֵעָל וְאֶל־הָאָרֶץ לָדִין עַמּוֹ׃

5 אִסְפוּ־לִי חֲסִידָי כֹּרְתֵי בְרִיתִי עֲלֵי־זָבַח׃

6 וַיַּגִּידוּ שָׁמַיִם צִדְקוֹ כִּי־אֱלֹהִים ׀ שֹׁפֵט הוּא סֶלָה׃

7 שִׁמְעָה עַמִּי ׀ וַאֲדַבֵּרָה יִשְׂרָאֵל וְאָעִידָה בָּךְ אֱלֹהִים אֱלֹהֶיךָ אָנֹכִי׃

맛싸성경

1 [아삽의 시] 하나님 여호와 하나님께서 말씀하셨으며 해 뜨는 곳에서부터 그것이 지는 곳까지 땅(세상)을 부르셨도다. 2 완전히 아름다운 시온에서부터 하나님께서 빛을 비추셨도다. 3 우리 하나님이 오실 것이며 그분은 귀를 닫지 않으시니 불은 그분 앞에서 삼키며 그의 주위에는 광풍이 크게 일어날 것이라. 4 그분이 자기 백성을 판단하시기 위하여 하늘 위로부터 땅을 향하여 부르실 것이라. 5 "내 신실한 자들은 내게 모으라. (그들은) 희생제 위에 나와 언약을 맺은 자들이라." 6 하늘(들)은 그분의 의를 선포할 것이니 이는 하나님 그분이 심판자이시기 때문이라. 셀라. 7 "내 백성아, 들어라. 이스라엘아, 내가 말할 것이고 내가 너에 대해서 증거할 것이다. 나는 하나님 (곧) 너희 하나님이라.

NET

1 A psalm by Asaph. El, God, the Lord has spoken, and summoned the earth to come from the east and west. 2 From Zion, the most beautiful of all places, God has come in splendor. 3 “May our God come and not be silent.” Consuming fire goes ahead of him, and all around him a storm rages. 4 He summons the heavens above, as well as the earth, so that he might judge his people. 5 He says: “Assemble my covenant people before me, those who ratified a covenant with me by sacrifice.” 6 The heavens declare his fairness, for God is judge. (Selah) 7 He says: “Listen, my people. I am speaking! Listen, Israel. I am accusing you. I am God, your God!

50 WLC

8 לֹא עַל־זְבָחֶיךָ אוֹכִיחֶךָ וְעוֹלֹתֶיךָ לְנֶגְדִּי תָמִיד׃

9 לֹא־אֶקַּח מִבֵּיתְךָ פָר מִמִּכְלְאֹתֶיךָ עַתּוּדִים׃

10 כִּי־לִי כָל־חַיְתוֹ־יָעַר בְּהֵמוֹת בְּהַרְרֵי־אָלֶף׃

11 יָדַעְתִּי כָּל־עוֹף הָרִים וְזִיז שָׂדַי עִמָּדִי׃

12 אִם־אֶרְעַב לֹא־אֹמַר לָךְ כִּי־לִי תֵבֵל וּמְלֹאָהּ׃

13 הַאוֹכַל בְּשַׂר אַבִּירִים וְדַם עַתּוּדִים אֶשְׁתֶּה׃

14 זְבַח לֵאלֹהִים תּוֹדָה וְשַׁלֵּם לְעֶלְיוֹן נְדָרֶיךָ׃

15 וּקְרָאֵנִי בְּיוֹם צָרָה אֲחַלֶּצְךָ וּתְכַבְּדֵנִי׃

맛싸성경

8 내가 네 희생제로 인하여 너를 책망하지 않으리니 네 태움제가 내 앞에 항상 있음이라. **9** 나는 네 집에서부터 수소를 취하지 않으며 네 우리들로부터 숫염소들도 취하지 않을 것이라. **10** 이는 숲의 모든 짐승들이 내 것이며 수천의 산(들)의 동물들도 그러하다. **11** 나는 산(들)의 모든 새들을 알고 들의 생물이 나와 함께 있다. **12** 만일 내가 배가 고파도 나는 네게 말하지 않을 것이니 이는 세상과 거기에 충만한 것들이 내 것이기 때문이라. **13** 내가 수소들의 고기를 먹으며 숫염소들의 피를 마시겠느냐? **14** 찬송(감사함)으로 하나님께 예물을 드리며 네 서원들을 가장 높으신 분에게 다 갚고 **15** 곤란한 날에 내게 부르짖어라. 내가 너를 구원할 것이니 너는 나를 존귀하게 할 것이라."

NET

8 I am not condemning you because of your sacrifices, or because of your burnt sacrifices that you continually offer me. **9** I do not need to take a bull from your household or goats from your sheepfolds. **10** For every wild animal in the forest belongs to me, as well as the cattle that graze on a thousand hills. **11** I keep track of every bird in the hills, and the insects of the field are mine. **12** Even if I were hungry, I would not tell you, for the world and all it contains belong to me. **13** Do I eat the flesh of bulls? Do I drink the blood of goats? **14** Present to God a thank offering. Repay your vows to the Most High. **15** Pray to me when you are in trouble. I will deliver you, and you will honor me."

50 WLC

16 וְלָרָשָׁע ׀ אָמַר אֱלֹהִים מַה־לְּךָ לְסַפֵּר חֻקָּי וַתִּשָּׂא בְרִיתִי עֲלֵי־פִיךָ׃

17 וְאַתָּה שָׂנֵאתָ מוּסָר וַתַּשְׁלֵךְ דְּבָרַי אַחֲרֶיךָ׃

18 אִם־רָאִיתָ גַנָּב וַתִּרֶץ עִמּוֹ וְעִם מְנָאֲפִים חֶלְקֶךָ׃

19 פִּיךָ שָׁלַחְתָּ בְרָעָה וּלְשׁוֹנְךָ תַּצְמִיד מִרְמָה׃

20 תֵּשֵׁב בְּאָחִיךָ תְדַבֵּר בְּבֶן־אִמְּךָ תִּתֶּן־דֹּפִי׃

21 אֵלֶּה עָשִׂיתָ ׀ וְהֶחֱרַשְׁתִּי דִּמִּיתָ הֱיוֹת־אֶהְיֶה כָמוֹךָ אוֹכִיחֲךָ וְאֶעֶרְכָה לְעֵינֶיךָ׃

22 בִּינוּ־נָא זֹאת שֹׁכְחֵי אֱלוֹהַּ פֶּן־אֶטְרֹף וְאֵין מַצִּיל׃

23 זֹבֵחַ תּוֹדָה יְכַבְּדָנְנִי וְשָׂם דֶּרֶךְ אַרְאֶנּוּ בְּיֵשַׁע אֱלֹהִים׃

맛싸성경

16 그러나 사악한 자에게 하나님께서는 말씀하셨도다. "무엇으로 네가 내 규정을 선포하고 내 언약을 네 입으로 선언하겠는가? 17 너는 내 훈련을 싫어하고 내 말들을 네 뒤로 던져버렸도다. 18 네가 도둑을 보았을 때 너는 그와 함께 친구가 되었고 너는 간음하는 자들과 네 몫을 함께 하였도다. 19 너는 네 입을 악으로 내어주고 네 혀로 사기를 더하도다. 20 네 형제를 대항하여 앉으며 (또) 말하니 너는 네 어머니의 아들에게 비난하는 말을 하는구나. 21 이런 일들을 네가 행하였어도 나는 조용히 있었더니 네가 나와 같은 줄로 생각하였도다. 그러나 내가 너를 책망하고 내가 네 눈앞에서 (증거를) 늘어놓을 것이라. 22 하나님을 잊어버린 자들아, 이제 이것을 알아라. 그렇지 않으면 내가 (너희를) 찢으리니 구출할 자가 없을 것이라. 23 찬송으로 예물을 드리는 자는 나를 존귀하게 할 것이니 그의 길을 바르게 하는 자에게 나는 하나님의 구원을 보여줄 것이라."

NET

16 God says this to the evildoer: "How can you declare my commands, and talk about my covenant? 17 For you hate instruction and reject my words. 18 When you see a thief, you join him; you associate with men who are unfaithful to their wives. 19 You do damage with words, and use your tongue to deceive. 20 You plot against your brother; you slander your own brother. 21 When you did these things, I was silent, so you thought I was exactly like you. But now I will condemn you and state my case against you. 22 Carefully consider this, you who reject God. Otherwise I will rip you to shreds and no one will be able to rescue you. 23 Whoever presents a thank offering honors me. To whoever obeys my commands, I will reveal my power to deliver."

51 WLC

1 לַמְנַצֵּחַ מִזְמוֹר לְדָוִד׃

2 בְּבוֹא־אֵלָיו נָתָן הַנָּבִיא כַּאֲשֶׁר־בָּא אֶל־בַּת־שָׁבַע׃

3 חָנֵּנִי אֱלֹהִים כְּחַסְדֶּךָ כְּרֹב רַחֲמֶיךָ מְחֵה פְשָׁעָי׃

4 [הַרְבֵּה כ] (הֶרֶב ק) כַּבְּסֵנִי מֵעֲוֹנִי וּמֵחַטָּאתִי טַהֲרֵנִי׃

5 כִּי־פְשָׁעַי אֲנִי אֵדָע וְחַטָּאתִי נֶגְדִּי תָמִיד׃

6 לְךָ לְבַדְּךָ ׀ חָטָאתִי וְהָרַע בְּעֵינֶיךָ עָשִׂיתִי לְמַעַן תִּצְדַּק בְּדָבְרֶךָ תִּזְכֶּה בְשָׁפְטֶךָ׃

7 הֵן־בְּעָווֹן חוֹלָלְתִּי וּבְחֵטְא יֶחֱמַתְנִי אִמִּי׃

8 הֵן־אֱמֶת חָפַצְתָּ בַטֻּחוֹת וּבְסָתֻם חָכְמָה תוֹדִיעֵנִי׃

맛싸성경

(히, 51:1) [지휘자를 위한 다윗의 시. **(2)** (다윗이) 밧쉐바에게로 간(동침한) 후에 나단 선지자가 그에게로 갔을 때] **1(3)** 하나님이시여! 주의 인애를 따라서 내게 은혜를 베풀어 주시고 주의 긍휼의 풍성하심을 따라 내 위반을 제거하소서. **2(4)** 내 부정에서 나를 온전히 씻어주시고 내 죄를 정결하게 하소서. **3(5)** 이는 내가 내 위반을 알고 내 죄가 항상 내 곁에 있음이니이다. **4(6)** 내가 주께 주께만 죄를 지었으며 주의 눈앞에서 내가 악을 행하였으므로 주께서 말씀하실 때에 주께서 의로우시고 주께서 심판하실 때에도 주는 순전하시나이다. **5(7)** 보소서, 나는 부정한 중에 태어났고 내 어머니가 죄 중에 나를 임신하였나이다. **6(8)** 보소서, 주께서 은밀함에도 진리를 기뻐하시고 주께서 비밀스럽게 내게 지혜를 가르치시나이다.

NET

1(H 51:1) For the music director, a psalm of David, **(2)** written when Nathan the prophet confronted him after David's affair with Bathsheba. Have mercy on me, **(3)** O God, because of your loyal love. Because of your great compassion, wipe away my rebellious acts. **2(4)** Wash away my wrongdoing. Cleanse me of my sin. **3(5)** For I am aware of my rebellious acts; I am forever conscious of my sin. **4(6)** Against you—you above all—I have sinned; I have done what is evil in your sight. So you are just when you confront me; you are right when you condemn me. **5(7)** Look, I was guilty of sin from birth, a sinner the moment my mother conceived me. **6(8)** Look, you desire integrity in the inner man; you want me to possess wisdom.

51 WLC

9 תְּחַטְּאֵנִי בְאֵזוֹב וְאֶטְהָר תְּכַבְּסֵנִי וּמִשֶּׁלֶג אַלְבִּין׃

10 תַּשְׁמִיעֵנִי שָׂשׂוֹן וְשִׂמְחָה תָּגֵלְנָה עֲצָמוֹת דִּכִּיתָ׃

11 הַסְתֵּר פָּנֶיךָ מֵחֲטָאָי וְכָל־עֲוֺנֹתַי מְחֵה׃

12 לֵב טָהוֹר בְּרָא־לִי אֱלֹהִים וְרוּחַ נָכוֹן חַדֵּשׁ בְּקִרְבִּי׃

13 אַל־תַּשְׁלִיכֵנִי מִלְּפָנֶיךָ וְרוּחַ קָדְשְׁךָ אַל־תִּקַּח מִמֶּנִּי׃

14 הָשִׁיבָה לִּי שְׂשׂוֹן יִשְׁעֶךָ וְרוּחַ נְדִיבָה תִסְמְכֵנִי׃

15 אֲלַמְּדָה פֹשְׁעִים דְּרָכֶיךָ וְחַטָּאִים אֵלֶיךָ יָשׁוּבוּ׃

맛싸성경

7(히, 51:9) 주께서 히솝(우슬초)으로 죄에서 나를 씻으시면 내가 정결하리이다. 나를 씻어 주시면 내가 눈보다 더 희게 될 것이니이다. **8(10)** 주께서 나로 기쁨과 즐거움의 (소리)를 듣게 하시며 주께서 꺾으신 뼈들이 기뻐하게 하소서. **9(11)** 주의 얼굴을 내 죄로부터 감추시고 나의 모든 부정을 제거하소서. **10(12)** 하나님이시여! 정결한 마음을 내게 창조하소서. 굳건한 영을 내 안에서 새롭게 하소서. **11(13)** 나를 주 앞에서부터 내던지지 마시며 주의 성령을 내게서 취하지 마소서. **12(14)** 주의 구원의 기쁨을 내게 회복시키시고 주의 자원하는 영(으로) 나를 붙드소서. **13(15)** 그리하면 내가 위반자들에게 주의 길을 가르칠 것이니 죄인들이 주께로 돌아올 것이니이다.

NET

7(H 51:9) Cleanse me with hyssop and I will be pure; wash me and I will be whiter than snow. **8(10)** Grant me the ultimate joy of being forgiven. May the bones you crushed rejoice. **9(11)** Hide your face from my sins. Wipe away all my guilt. **10(12)** Create for me a pure heart, O God. Renew a resolute spirit within me. **11(13)** Do not reject me. Do not take your Holy Spirit away from me. **12(14)** Let me again experience the joy of your deliverance. Sustain me by giving me the desire to obey. **13(15)** Then I will teach rebels your merciful ways, and sinners will turn to you.

51 WLC

16 הַצִּילֵנִי מִדָּמִים ׀ אֱלֹהִים אֱלֹהֵי תְּשׁוּעָתִי תְּרַנֵּן לְשׁוֹנִי צִדְקָתֶךָ׃

17 אֲדֹנָי שְׂפָתַי תִּפְתָּח וּפִי יַגִּיד תְּהִלָּתֶךָ׃

18 כִּי ׀ לֹא־תַחְפֹּץ זֶבַח וְאֶתֵּנָה עוֹלָה לֹא תִרְצֶה׃

19 זִבְחֵי אֱלֹהִים רוּחַ נִשְׁבָּרָה לֵב־נִשְׁבָּר וְנִדְכֶּה אֱלֹהִים לֹא תִבְזֶה׃

20 הֵיטִיבָה בִרְצוֹנְךָ אֶת־צִיּוֹן תִּבְנֶה חוֹמוֹת יְרוּשָׁלָם׃

21 אָז תַּחְפֹּץ זִבְחֵי־צֶדֶק עוֹלָה וְכָלִיל אָז יַעֲלוּ עַל־מִזְבַּחֲךָ פָרִים׃

맛싸성경

14(히, 51:16) 하나님이시여! 내 구원의 하나님이시여! 나를 피 흘림에서 구출하소서. 내 혀가 주의 의를 (큰 소리로) 노래하리이다. **15(17)** 주님이시여! 내 입술을 열어주소서. 내 입이 주를 찬양함으로 선포할 것이니이다. **16(18)** 이는 주께서 희생(제사)을 기뻐하지 않으시니 (그렇다면) 내가 드렸을 것이니이다. 주께서는 태움제도 기뻐하지 않으실 것이니이다. **17(19)** 하나님의 (구하시는) 희생(제사)들은 부서진 영이라. 하나님이시여! 부서지고 애통하는 마음을 주께서 멸시하지 않을 것이니이다. **18(20)** 주의 기쁨으로 시온을 잘 되게 하시고 예루살렘의 담을 건축하게 하소서. **19(21)** 그때 주께서 의의 희생(제사)과 태움제와 온전한 제물을 기뻐하실 것이고 그때 그들이 주의 제단 위에 수소들을 드릴 것이나이다.

NET

14(H 51:16) Rescue me from the guilt of murder, O God, the God who delivers me. Then my tongue will shout for joy because of your righteousness. **15(17)** O Lord, give me the words. Then my mouth will praise you. **16(18)** Certainly you do not want a sacrifice, or else I would offer it; you do not desire a burnt sacrifice. **17(19)** The sacrifice God desires is a humble spirit— O God, a humble and repentant heart you will not reject. **18(20)** Because you favor Zion, do what is good for her. Fortify the walls of Jerusalem. **19(21)** Then you will accept the proper sacrifices, burnt sacrifices and whole offerings; then bulls will be sacrificed on your altar.

52 WLC

1 לַמְנַצֵּחַ מַשְׂכִּיל לְדָוִד׃

2 בְּבוֹא ׀ דּוֹאֵג הָאֲדֹמִי וַיַּגֵּד לְשָׁאוּל וַיֹּאמֶר לוֹ בָּא דָוִד אֶל־בֵּית אֲחִימֶלֶךְ׃

3 מַה־תִּתְהַלֵּל בְּרָעָה הַגִּבּוֹר חֶסֶד אֵל כָּל־הַיּוֹם׃

4 הַוּוֹת תַּחְשֹׁב לְשׁוֹנֶךָ כְּתַעַר מְלֻטָּשׁ עֹשֵׂה רְמִיָּה׃

5 אָהַבְתָּ רָּע מִטּוֹב שֶׁקֶר ׀ מִדַּבֵּר צֶדֶק סֶלָה׃

6 אָהַבְתָּ כָל־דִּבְרֵי־בָלַע לְשׁוֹן מִרְמָה׃

7 גַּם־אֵל יִתָּצְךָ לָנֶצַח יַחְתְּךָ וְיִסָּחֲךָ מֵאֹהֶל וְשֵׁרֶשְׁךָ מֵאֶרֶץ חַיִּים סֶלָה׃

맛싸성경

(히, 52:1) [지휘자를 위한 다윗의 마스길. **(2)** 에돔 사람 도엑이 사울에게 가서 "다윗이 아히멜렉의 집으로 들어갔다"고 말하였을 때 (지은 시)] **1(3)** 강한 자여, 어찌하여 너는 악을 자랑하느냐? 하나님의 인애는 종일 있도다. **2(4)** 네 혀는 파괴를 계획하니 날카로운 면도 칼과 같으며 속임을 행하는도다. **3(5)** 너는 선보다 악을 사랑하고 의를 말하는 것보다 거짓말을 (사랑하는구나). 셀라. **4(6)** 속이는 혀야, 너는 삼키는 모든 말들을 사랑하는구나. **5(7)** 그러나 하나님께서는 영원히 너를 헐어 버리시고 그분은 너를 끄집어 내셔서 너를 천막에서부터 찢어버리시며 살아있는 자들의 땅에서부터 뿌리 뽑으실 것이다. 셀라.

NET

1(H 52:1) For the music director, a well-written song by David. **(2)** It was written when Doeg the Edomite went and informed Saul: "David has arrived at the home of Ahimelech." **(3)** Why do you boast about your evil plans, O powerful man? God's loyal love protects me all day long. **2(4)** Your tongue carries out your destructive plans; it is as effective as a sharp razor, O deceiver. **3(5)** You love evil more than good, lies more than speaking the truth. (Selah) **4(6)** You love to use all the words that destroy, and the tongue that deceives. **5(7)** Yet God will make you a permanent heap of ruins. He will scoop you up and remove you from your home; he will uproot you from the land of the living. (Selah)

52 WLC

8 וְיִרְאוּ צַדִּיקִים וְיִירָאוּ וְעָלָיו יִשְׂחָקוּ׃

9 הִנֵּה הַגֶּבֶר לֹא יָשִׂים אֱלֹהִים מָעוּזּוֹ וַיִּבְטַח בְּרֹב עָשְׁרוֹ
יָעֹז בְּהַוָּתוֹ׃

10 וַאֲנִי ׀ כְּזַיִת רַעֲנָן בְּבֵית אֱלֹהִים בָּטַחְתִּי בְחֶסֶד־אֱלֹהִים
עוֹלָם וָעֶד׃

11 אוֹדְךָ לְעוֹלָם כִּי עָשִׂיתָ וַאֲקַוֶּה שִׁמְךָ כִי־טוֹב נֶגֶד חֲסִידֶיךָ׃

맛싸성경

6(히, 52:8) 의인들이 보고 그들은 두려워할 것이며 그들이 그분에 대해 조롱하며 말하기를 **7(9)** "보아라, 이 사람은 하나님을 자기의 피난처로 두지 않았고 그는 그의 많은 재산을 의지하며 그의 협박(악한 욕망)으로 강함을 나타내는도다." **8(10)** 그러나 나는 하나님의 집에서 잎이 우거진 올리브 나무 같아서 나는 하나님의 인애를 영원 무궁히 신뢰할 것이라. **9(11)** 내가 주를 영원히 찬양하리니 이는 주께서 (이것을) 행하셨음이라. 내가 주의 이름을 소망하리니 이는 주의 신실한 자 앞에서 (주의 이름이) 선하심이라.

NET

6(H 52:8) When the godly see this, they will be filled with awe, and will mock the evildoer, saying: **7(9)** "Look, here is the man who would not make God his protector. He trusted in his great wealth and was confident about his plans to destroy others." **8(10)** But I am like a flourishing olive tree in the house of God; I continually trust in God's loyal love. **9(11)** I will continually thank you when you execute judgment; I will rely on you, for your loyal followers know you are good.

53 WLC

1 לַמְנַצֵּחַ עַל־מָחֲלַת מַשְׂכִּיל לְדָוִד׃

2 אָמַר נָבָל בְּלִבּוֹ אֵין אֱלֹהִים הִשְׁחִיתוּ וְהִתְעִיבוּ עָוֶל אֵין עֹשֵׂה־טוֹב׃

3 אֱלֹהִים מִשָּׁמַיִם הִשְׁקִיף עַל־בְּנֵי אָדָם לִרְאוֹת הֲיֵשׁ מַשְׂכִּיל דֹּרֵשׁ אֶת־אֱלֹהִים׃

4 כֻּלּוֹ סָג יַחְדָּו נֶאֱלָחוּ אֵין עֹשֵׂה־טוֹב אֵין גַּם־אֶחָד׃

5 הֲלֹא יָדְעוּ פֹּעֲלֵי אָוֶן אֹכְלֵי עַמִּי אָכְלוּ לֶחֶם אֱלֹהִים לֹא קָרָאוּ׃

6 שָׁם ׀ פָּחֲדוּ־פַחַד לֹא־הָיָה פָחַד כִּי־אֱלֹהִים פִּזַּר עַצְמוֹת חֹנָךְ הֱבִשֹׁתָה כִּי־אֱלֹהִים מְאָסָם׃

7 מִי יִתֵּן מִצִּיּוֹן יְשֻׁעוֹת יִשְׂרָאֵל בְּשׁוּב אֱלֹהִים שְׁבוּת עַמּוֹ יָגֵל יַעֲקֹב יִשְׂמַח יִשְׂרָאֵל׃

맛싸성경

(히, 53:1) [마할랏으로 지휘자를 위한 다윗의 마스길] **1(2)** 미련한 자는 그 마음으로 "하나님은 없다."고 말하도다. 그들은 타락하고 부정을 행하니 선을 행하는 자가 없도다. **2(3)** 하나님께서는 하늘에서부터 사람의 아들(자손)들을 위에서부터 내려다보시며 통찰력이 있어 하나님을 찾는 자가 있는지 보시도다. **3(4)** 그 모든 자들이 다 함께 불충하고 부패하여 선을 행하는 자가 없으니 또한 한 사람도 없도다. **4(5)** 사악을 행하는 모든 자들은 알지 못하는가? 빵을 먹듯이 내 백성을 먹는 자들은 하나님을 부르지 않는도다. **5(6)** 두려움이 없는 곳에서도 그들은 매우 두려워할 것이니 이는 하나님께서 너를 향해 진친 자들의 뼈들을 흩으셨기 때문이라. (그들이) 네게 수치를 당하게 하였으니 이는 하나님께서 그들을 버리셨음이라. **6(7)** 누가 이스라엘의 구원을 시온에서 주겠는가? 하나님께서 포로 된 그(의) 백성을 돌아오게 하실 때 야곱이 기뻐할 것이며 이스라엘이 즐거워할 것이라.

NET

1(H 53:1) For the music director, according to the machalath style; a well-written song by David. **(2)** Fools say to themselves, "There is no God." They sin and commit evil deeds; none of them does what is right. **2(3)** God looks down from heaven at the human race, to see if there is anyone who is wise and seeks God. **3(4)** Everyone rejects God; they are all morally corrupt. None of them does what is right, not even one! **4(5)** All those who behave wickedly do not understand—those who devour my people as if they were eating bread and do not call out to God. **5(6)** They are absolutely terrified, even by things that do not normally cause fear. For God annihilates those who attack you. You are able to humiliate them because God has rejected them. **6(7)** I wish the deliverance of Israel would come from Zion! When God restores the well-being of his people, may Jacob rejoice, may Israel be happy!

54 WLC

1 לַמְנַצֵּחַ בִּנְגִינֹת מַשְׂכִּיל לְדָוִד׃

2 בְּבוֹא הַזִּיפִים וַיֹּאמְרוּ לְשָׁאוּל הֲלֹא דָוִד מִסְתַּתֵּר עִמָּנוּ׃

3 אֱלֹהִים בְּשִׁמְךָ הוֹשִׁיעֵנִי וּבִגְבוּרָתְךָ תְדִינֵנִי׃

4 אֱלֹהִים שְׁמַע תְּפִלָּתִי הַאֲזִינָה לְאִמְרֵי־פִי׃

5 כִּי זָרִים ׀ קָמוּ עָלַי וְעָרִיצִים בִּקְשׁוּ נַפְשִׁי לֹא שָׂמוּ אֱלֹהִים לְנֶגְדָּם סֶלָה׃

6 הִנֵּה אֱלֹהִים עֹזֵר לִי אֲדֹנָי בְּסֹמְכֵי נַפְשִׁי׃

7 [יָשׁוֹב כ] (יָשִׁיב ק) הָרַע לְשֹׁרְרָי בַּאֲמִתְּךָ הַצְמִיתֵם׃

8 בִּנְדָבָה אֶזְבְּחָה־לָּךְ אוֹדֶה שִּׁמְךָ יְהוָה כִּי־טוֹב׃

9 כִּי מִכָּל־צָרָה הִצִּילָנִי וּבְאֹיְבַי רָאֲתָה עֵינִי׃

맛싸성경

(히, 54:1) [지휘자를 위해서 느기놋에 맞춘 다윗의 마스길. **(2)** 짚(십) 사람들이 왔을 때 그들이 사울에게 말하기를 "다윗이 우리와 함께 숨어 있지 않았나이까?"(라고 말하였을 때)] **1(3)** 하나님이시여! 주의 이름으로 나를 구원하여 주소서. 주의 능력으로 나를 변론하여 주소서. **2(4)** 하나님이시여! 내 기도를 들으시며 내 입의 말들에 귀 기울여 주소서. **3(5)** 이는 낯선 자들이 나를 대항하여 일어났으며 압제자들이 내 생명을 찾고 있으니 그들은 하나님을 그들 곁에 두지 않았나이다. 셀라. **4(6)** 보아라, 하나님은 나를 돕는 분이시며 주님은 내 생명을 붙드는 분이시라. **5(7)** 내 대적에게 악이 돌아가게 하시며 주의 진리로 그들을 멸하소서. **6(8)** 내가 자원제로 주께 제물을 드릴 것이라. 여호와시여! 내가 주의 이름을 찬양하리니 이는 그것(주의 이름)이 선함이라. **7(9)** 이는 모든 곤란 중에서 그분이 나를 구출하셨으며 내 눈이 나의 원수들을 보았기 때문이라.

NET

1(H 54:1) For the music director, to be accompanied by stringed instruments; a well-written song by David. **(2)** It was written when the Ziphites came and informed Saul: “David is hiding with us.” **(3)** O God, deliver me by your name. Vindicate me by your power. **2(4)** O God, listen to my prayer. Pay attention to what I say. **3(5)** For foreigners attack me; ruthless men, who do not respect God, seek my life. (Selah) **4(6)** Look, God is my deliverer. The Lord is among those who support me. **5(7)** May those who wait to ambush me be repaid for their evil. As a demonstration of your faithfulness, destroy them. **6(8)** With a freewill offering I will sacrifice to you. I will give thanks to your name, O Lord, for it is good. **7(9)** Surely he rescues me from all trouble, and I triumph over my enemies.

55 WLC

1 לַמְנַצֵּחַ בִּנְגִינֹת מַשְׂכִּיל לְדָוִד׃

2 הַאֲזִינָה אֱלֹהִים תְּפִלָּתִי וְאַל־תִּתְעַלַּם מִתְּחִנָּתִי׃

3 הַקְשִׁיבָה לִּי וַעֲנֵנִי אָרִיד בְּשִׂיחִי וְאָהִימָה׃

4 מִקּוֹל אוֹיֵב מִפְּנֵי עָקַת רָשָׁע כִּי־יָמִיטוּ עָלַי אָוֶן וּבְאַף יִשְׂטְמוּנִי׃

5 לִבִּי יָחִיל בְּקִרְבִּי וְאֵימוֹת מָוֶת נָפְלוּ עָלָי׃

6 יִרְאָה וָרַעַד יָבֹא בִי וַתְּכַסֵּנִי פַּלָּצוּת׃

7 וָאֹמַר מִי־יִתֶּן־לִּי אֵבֶר כַּיּוֹנָה אָעוּפָה וְאֶשְׁכֹּנָה׃

8 הִנֵּה אַרְחִיק נְדֹד אָלִין בַּמִּדְבָּר סֶלָה׃

맛싸성경

(히, 55:1) [지휘자를 위하여 느기놋에 맞춘 다윗의 마스길] 1(2) 하나님이시여! 내 기도에 귀 기울여 주시고 내 간구로부터 스스로 숨기지 마소서. 2(3) 내게 경청하시고 내게 응답하소서. 나의 애통함으로 방황하며 몹시 화를 내나니(신음하니) 3(4) 원수들의 소리 때문이며 사악한 자의 압제 때문이니이다. 이는 그들이 내 위로 사악(함)을 던지고 그들이 분냄으로 내게 반감을 가지기 때문이니이다. 4(5) 내 마음은 내 속에서 고통하며 죽음의 공포들이 내 위로 떨어졌나이다. 5(6) 두려움과 떨림이 내게 왔으며 공포가 나를 덮었나이다. 6(7) 내가 말하기를 "내게 비둘기처럼 날개가 가진다면 나는 날아가 쉴 것이라. 7(8) 보아라, 나는 도망하려고 멀리 갈 것이며 광야에서 거주할 것이라. 셀라.

NET

1(H 55:1) For the music director, to be accompanied by stringed instruments; a well-written song by David. (2) Listen, O God, to my prayer. Do not ignore my appeal for mercy. 2(3) Pay attention to me and answer me. I am so upset and distressed, I am beside myself, 3(4) because of what the enemy says, and because of how the wicked pressure me, for they hurl trouble down upon me and angrily attack me. 4(5) My heart beats violently within me; the horrors of death overcome me. 5(6) Fear and panic overpower me; terror overwhelms me. 6(7) I say, "I wish I had wings like a dove. I would fly away and settle in a safe place. 7 Look, I will escape to a distant place; I will stay in the wilderness. (Selah)

55 WLC

9 אָחִישָׁה מִפְלָט לִי מֵרוּחַ סֹעָה מִסָּעַר:

10 בַּלַּע אֲדֹנָי פַּלַּג לְשׁוֹנָם כִּי־רָאִיתִי חָמָס וְרִיב בָּעִיר:

11 יוֹמָם וָלַיְלָה יְסוֹבְבֻהָ עַל־חוֹמֹתֶיהָ וְאָוֶן וְעָמָל בְּקִרְבָּהּ:

12 הַוּוֹת בְּקִרְבָּהּ וְלֹא־יָמִישׁ מֵרְחֹבָהּ תֹּךְ וּמִרְמָה:

13 כִּי לֹא־אוֹיֵב יְחָרְפֵנִי וְאֶשָּׂא לֹא־מְשַׂנְאִי עָלַי הִגְדִּיל וְאֶסָּתֵר מִמֶּנּוּ:

14 וְאַתָּה אֱנוֹשׁ כְּעֶרְכִּי אַלּוּפִי וּמְיֻדָּעִי:

15 אֲשֶׁר יַחְדָּו נַמְתִּיק סוֹד בְּבֵית אֱלֹהִים נְהַלֵּךְ בְּרָגֶשׁ:

16 [יַשִּׁימָוֶת כ] (יַשִּׁי ק) (מָוֶת ק) ׀ עָלֵימוֹ יֵרְדוּ שְׁאוֹל חַיִּים כִּי־רָעוֹת בִּמְגוּרָם בְּקִרְבָּם:

맛싸성경

8(히, 55:9) 내가 회오리와 강풍으로부터 내 도피처로 (가려고) 서두를 것이다." **9(10)** 주님이시여! (그들을) 멸하시고 그들의 언어를 나누소서. 이는 내가 도시에서 폭력과 싸움을 보았음이니이다. **10(11)** 낮과 밤에 그들은 그 담(성벽) 주위로 돌아다니고 그(도시) 안에는 사악과 재앙이 있나니 **11(12)** 그 도시에는 파괴가 있고 그 도시의 거리에서부터 협박과 속임수가 떠나지 않나이다. **12(13)** 이는 나를 모욕한 것이 원수가 아니니 (그렇다면) 내가 참을 수 있었을 것이며 나를 대하여 자신을 높였던 자가 나를 미워하는 자가 아니니 (그렇다면) 내가 그에게서 숨었을 것이다. **13(14)** 그러나 그것은 너이다. 나와 같은 사람이요 가까운 친구이며 내가 아는 사람이라. **14(15)** 우리는 같이 가까운 친구 (사이)를 유지하였고 하나님의 집에서 여럿이 걸어 다녔다. **15(16)** 죽음이 그들에게 있어 그들로 산 채로 셰올에 내려가게 하여라. 이는 그들의 거주지와 그들 가운데는 악(들)이 있음이라.

NET

8(H 55:9) I will hurry off to a place that is safe from the strong wind and the gale." **9(10)** Confuse them, O Lord. Frustrate their plans. For I see violence and conflict in the city. **10(11)** Day and night they walk around on its walls, while wickedness and destruction are within it. **11(12)** Disaster is within it; violence and deceit do not depart from its public square. **12(13)** Indeed, it is not an enemy who insults me, or else I could bear it; it is not one who hates me who arrogantly taunts me, or else I could hide from him. **13(14)** But it is you, a man like me, my close friend in whom I confided. **14(15)** We would share personal thoughts with each other; in God's temple we would walk together among the crowd. **15(16)** May death destroy them. May they go down alive into Sheol. For evil is in their dwelling place and in their midst.

55 WLC

17 אֲנִי אֶל־אֱלֹהִים אֶקְרָא וַיהוָה יוֹשִׁיעֵנִי׃

18 עֶרֶב וָבֹקֶר וְצָהֳרַיִם אָשִׂיחָה וְאֶהֱמֶה וַיִּשְׁמַע קוֹלִי׃

19 פָּדָה בְשָׁלוֹם נַפְשִׁי מִקֲּרָב־לִי כִּי־בְרַבִּים הָיוּ עִמָּדִי׃

20 יִשְׁמַע ׀ אֵל ׀ וְיַעֲנֵם וְיֹשֵׁב קֶדֶם סֶלָה אֲשֶׁר אֵין חֲלִיפוֹת לָמוֹ
וְלֹא יָרְאוּ אֱלֹהִים׃

21 שָׁלַח יָדָיו בִּשְׁלֹמָיו חִלֵּל בְּרִיתוֹ׃

22 חָלְקוּ ׀ מַחְמָאֹת פִּיו וּקֲרָב־לִבּוֹ רַכּוּ דְבָרָיו מִשֶּׁמֶן וְהֵמָּה פְתִחוֹת׃

23 הַשְׁלֵךְ עַל־יְהוָה ׀ יְהָבְךָ וְהוּא יְכַלְכְּלֶךָ לֹא־יִתֵּן לְעוֹלָם מוֹט לַצַּדִּיק׃

24 וְאַתָּה אֱלֹהִים ׀ תּוֹרִדֵם ׀ לִבְאֵר שַׁחַת אַנְשֵׁי דָמִים וּמִרְמָה
לֹא־יֶחֱצוּ יְמֵיהֶם וַאֲנִי אֶבְטַח־בָּךְ׃

맛싸성경

16(히, 55:17) 내가 하나님께 부르짖으리니 여호와께서 나를 구원해 주실 것이라. **17(18)** 저녁과 아침과 정오에 내가 애곡하며 신음하리니 그분이 내 음성을 들으실 것이다. **18(19)** 나에 대한 전쟁에서(부터) 그분은 내 영혼을 평안으로 구속하실 것이니 비록 나를 대항하는 자들이 많을지라도 그리하실 것이라. **19(20)** 오래전부터 앉아계신 하나님이 들으시고 그들에게 응대할 것이라 셸라. 이는 자기를 위해서 변화도 없고 하나님을 경외하지도 않는 자들이기 때문이라. **20(21)** 그는 그와 평안한 자에게 그의 손을 뻗었고 그는 그의 언약을 모욕하였도다. **21(22)** 그의 입은 치즈보다 미끄러우나 그의 마음은 전쟁이며 그의 말들은 기름보다도 더 부드러우나 그것들은 뽑힌 칼이라. **22(23)** 네 짐을 여호와께 던지라(맡겨라). 그리하면 그분이 너를 지켜주시며 의인에게 요동함을 영원히 내주지 않으실 것이라. **23(24)** 그러나 주 하나님이시여! 주께서 그들로 파괴의 구덩이로 내려가게 하실 것이니 피(들)과 속이는 사람들은 그(들의) 날들을 반도 살지 못할 것이나이다. 그러나 나는 주를 신뢰하나이다.

NET

16(H 55:17) As for me, I will call out to God, and the Lord will deliver me. **17(18)** During the evening, morning, and noontime I will lament and moan, and he will hear me. **18(19)** He will rescue me and protect me from those who attack me, even though they greatly outnumber me. **19(20)** God, the one who has reigned as king from long ago, will hear and humiliate them. (Selah) They refuse to change, and do not fear God. **20(21)** He attacks his friends; he breaks his solemn promises to them. **21(22)** His words are as smooth as butter, but he harbors animosity in his heart. His words seem softer than oil, but they are really like sharp swords. **22(23)** Throw your burden upon the Lord, and he will sustain you. He will never allow the godly to be shaken. **23(24)** But you, O God, will bring them down to the deep Pit. Violent and deceitful people will not live even half a normal life-span. But as for me, I trust in you.

56 WLC

1 לַמְנַצֵּחַ ׀ עַל־יוֹנַת אֵלֶם רְחֹקִים לְדָוִד מִכְתָּם בֶּאֱחֹז אֹתוֹ פְלִשְׁתִּים בְּגַת׃

2 חָנֵּנִי אֱלֹהִים כִּי־שְׁאָפַנִי אֱנוֹשׁ כָּל־הַיּוֹם לֹחֵם יִלְחָצֵנִי׃

3 שָׁאֲפוּ שׁוֹרְרַי כָּל־הַיּוֹם כִּי־רַבִּים לֹחֲמִים לִי מָרוֹם׃

4 יוֹם אִירָא אֲנִי אֵלֶיךָ אֶבְטָח׃

5 בֵּאלֹהִים אֲהַלֵּל דְּבָרוֹ בֵּאלֹהִים בָּטַחְתִּי לֹא אִירָא מַה־יַּעֲשֶׂה בָשָׂר לִי׃

6 כָּל־הַיּוֹם דְּבָרַי יְעַצֵּבוּ עָלַי כָּל־מַחְשְׁבֹתָם לָרָע׃

7 יָגוּרוּ ׀ [יַצְפִּינוּ כ] (יִצְפּוֹנוּ ק) הֵמָּה עֲקֵבַי יִשְׁמֹרוּ כַּאֲשֶׁר קִוּוּ נַפְשִׁי׃

8 עַל־אָוֶן פַּלֶּט־לָמוֹ בְּאַף עַמִּים ׀ הוֹרֵד אֱלֹהִים׃

맛싸성경

(히, 56:1) [블레셋 사람들이 그(다윗)를 붙들었을 때에. '멀리서 고요한 비둘기' 곡에 맞춘 지휘자를 위한 다윗의 믹담] **1(2)** 하나님이시여! 내게 은혜를 베푸소서. 이는 사람이 내 생명을 (찾아) 헐떡이기 때문이며 온종일 나와 싸우는 자가 나를 압제하나이다. **2(3)** 내 대적들이 온종일 내 생명을 (찾아) 헐떡이니 이는 나를 대항해서 교만하게 싸우는 자들이 많기 때문이니이다. **3(4)** 내가 두려워하는 날에 내가 주를 신뢰할 것이니이다. **4(5)** 내가 하나님 안에서 그분의 말씀을 찬양하며 하나님 안에서 (그분을) 신뢰하리니 나는 두려워하지 않을 것이라. 육체(사람)가 내게 무엇을 하겠나이까? **5(6)** 그들은 온종일 나의 말들에 상처를 주고 그들의 모든 생각은 악하게 나를 대항하나이다. **6(7)** 그들은 함께 모여 자신들을 숨기고 내 발목을 지켜보니 마치 내 생명을 기다리는 것과 같나이다. **7(8)** 사악으로 인해서 그들에게는 구출이 있으리이까? 하나님이시여! 노하심으로 그 백성들을 내려가게 하소서.

NET

1(H 56:1) For the music director, according to the yonath-elem-rekhoqim style; a prayer of David, written when the Philistines captured him in Gath. Have mercy on me, **(2)** O God, for men are attacking me. All day long hostile enemies are tormenting me. **2(3)** Those who anticipate my defeat attack me all day long. Indeed, many are fighting against me, O Exalted One. **3(4)** When I am afraid, I trust in you. **4(5)** In God—I boast in his promise— in God I trust; I am not afraid. What can mere men do to me? **5(6)** All day long they cause me trouble; they make a habit of plotting my demise. **6(7)** They stalk and lurk; they watch my every step, as they prepare to take my life. **7(8)** Because they are bent on violence, do not let them escape. In your anger bring down the nations, O God.

56 WLC

9 נֹדִי סָפַרְתָּה אָתָּה שִׂימָה דִמְעָתִי בְנֹאדֶךָ הֲלֹא בְּסִפְרָתֶךָ׃

10 אָז יָשׁוּבוּ אוֹיְבַי אָחוֹר בְּיוֹם אֶקְרָא זֶה־יָדַעְתִּי כִּי־אֱלֹהִים לִי׃

11 בֵּאלֹהִים אֲהַלֵּל דָּבָר בַּיהוָה אֲהַלֵּל דָּבָר׃

12 בֵּאלֹהִים בָּטַחְתִּי לֹא אִירָא מַה־יַּעֲשֶׂה אָדָם לִי׃

13 עָלַי אֱלֹהִים נְדָרֶיךָ אֲשַׁלֵּם תּוֹדֹת לָךְ׃

14 כִּי הִצַּלְתָּ נַפְשִׁי מִמָּוֶת הֲלֹא רַגְלַי מִדֶּחִי לְהִתְהַלֵּךְ לִפְנֵי אֱלֹהִים בְּאוֹר הַחַיִּים׃

맛싸성경

8(히, 56:9) 주께서 내 방랑함을 세셨으니(헤아리셨으니) 내 눈물을 주의 가죽 병에 담으소서. (그것들이) 주의 책에 있지 않나이까? **9(10)** 그래서 내가 부르짖는 날에 내 원수들은 뒤로 물러갈 것이니 이것으로 하나님이 나와 함께 계시다는 것을 내가 알겠나이다. **10(11)** 하나님 안에서 내가 말씀을 찬양하며 여호와 안에서 내가 말씀을 찬양하리이다. **11(12)** 하나님을 내가 신뢰하며 나는 두려워하지 않으니 사람이 내게 무엇을 하겠나이까? **12(13)** 하나님이시여! 주께 서원들이 내게 있으니 내가 주께 감사제를 이행하리이다. **13(14)** 이는 주께서 내 영혼을 죽음에서부터 구출하시고 내 발을 넘어짐에서부터 (구출하셔서) 하나님 앞에서 생명들의 빛으로 걸어 다니도록 하셨기 때문이니이다.

NET

8(H 56:9) You keep track of my misery. Put my tears in your leather container. Are they not recorded in your scroll? **9(10)** My enemies will turn back when I cry out to you for help; I know that God is on my side. **10(11)** In God—I boast in his promise— in the Lord—I boast in his promise—**11(12)** in God I trust; I am not afraid. What can mere men do to me? **12(13)** I am obligated to fulfill the vows I made to you, O God; I will give you the thank offerings you deserve, **13(14)** when you deliver my life from death. You keep my feet from stumbling, so that I might serve God as I enjoy life.

57 WLC

1 לַמְנַצֵּחַ אַל־תַּשְׁחֵת לְדָוִד מִכְתָּם בְּבָרְחוֹ מִפְּנֵי־שָׁאוּל בַּמְּעָרָה׃

2 חָנֵּנִי אֱלֹהִים ׀ חָנֵּנִי כִּי בְךָ חָסָיָה נַפְשִׁי וּבְצֵל־כְּנָפֶיךָ אֶחְסֶה עַד יַעֲבֹר הַוּוֹת׃

3 אֶקְרָא לֵאלֹהִים עֶלְיוֹן לָאֵל גֹּמֵר עָלָי׃

4 יִשְׁלַח מִשָּׁמַיִם ׀ וְיוֹשִׁיעֵנִי חֵרֵף שֹׁאֲפִי סֶלָה יִשְׁלַח אֱלֹהִים חַסְדּוֹ וַאֲמִתּוֹ׃

5 נַפְשִׁי ׀ בְּתוֹךְ לְבָאִם אֶשְׁכְּבָה לֹהֲטִים בְּנֵי־אָדָם שִׁנֵּיהֶם חֲנִית וְחִצִּים
וּלְשׁוֹנָם חֶרֶב חַדָּה׃

6 רוּמָה עַל־הַשָּׁמַיִם אֱלֹהִים עַל כָּל־הָאָרֶץ כְּבוֹדֶךָ׃

7 רֶשֶׁת ׀ הֵכִינוּ לִפְעָמַי כָּפַף נַפְשִׁי כָּרוּ לְפָנַי שִׁיחָה נָפְלוּ בְתוֹכָהּ סֶלָה׃

맛싸성경

(히, 57:1) [지휘자를 위한 알 타셰헷(너는 파괴하지 마라)에 맞춘 다윗의 믹담. 그가 사울의 얼굴에서부터 동굴로 도망하였을 때] **1(2)** 내게 은혜를 베푸소서. 하나님이시여! 내게 은혜를 베푸소서. 이는 내 영혼이 주께 피하며 파괴가 지나가기까지 주의 날개(들)의 그늘 안에서 내가 피하리이다. **2(3)** 내가 부르짖으리니 (지극히) 높으신 분이신 하나님 곧 나를 위하여 완수하시는(모든 것을 이루시는) 하나님께로다. **3(4)** 주께서 하늘에서부터 보내셔서 나를 구원하실 것이니 주께서 (내 생명을 찾아) 헐떡이는 자를 책망하실 것이니이다. 셀라. 하나님은 그분의 인애와 (그분의) 진리를 보내실 것이니이다. **4(5)** 내 영혼이 사자들 가운데 있고 내가 삼키는(불사르는) 사람의 아들들 중에 놓여 있으니 그들의 이빨들은 창이고 화살들이나이다. 그들의 혀들은 날카로운 칼이나이다. **5(6)** 하나님이시여! 하늘 위에 높임을 받으시며 주의 영광은 모든 땅 위에 있나이다. **6(7)** 그들이 내 발에 그물을 놓았으니 내 영혼은 웅크리나이다. 그들이 내 앞에 함정을 파놓았으나 그들이 그 가운데로 빠졌나이다. 셀라.

NET

1(H 57:1) For the music director, according to the al-tashcheth style; a prayer of David, written when he fled from Saul into the cave. **(2)** Have mercy on me, O God. Have mercy on me. For in you I have taken shelter. In the shadow of your wings I take shelter until trouble passes. **2(3)** I cry out for help to God Most High, to the God who vindicates me. **3(4)** May he send help from heaven and deliver me from my enemies who hurl insults. (Selah) May God send his loyal love and faithfulness. **4(5)** I am surrounded by lions; I lie down among those who want to devour me, men whose teeth are spears and arrows, whose tongues are sharp swords. **5(6)** Rise up above the sky, O God. May your splendor cover the whole earth. **6(7)** They have prepared a net to trap me; I am discouraged. They have dug a pit for me. They will fall into it. (Selah)

57 WLC

8 נָכוֹן לִבִּי אֱלֹהִים נָכוֹן לִבִּי אָשִׁירָה וַאֲזַמֵּרָה׃

9 עוּרָה כְבוֹדִי עוּרָה הַנֵּבֶל וְכִנּוֹר אָעִירָה שָּׁחַר׃

10 אוֹדְךָ בָעַמִּים ׀ אֲדֹנָי אֲזַמֶּרְךָ בַּל־אֻמִּים׃

11 כִּי־גָדֹל עַד־שָׁמַיִם חַסְדֶּךָ וְעַד־שְׁחָקִים אֲמִתֶּךָ׃

12 רוּמָה עַל־שָׁמַיִם אֱלֹהִים עַל כָּל־הָאָרֶץ כְּבוֹדֶךָ׃

맛싸성경

7(히, 57:8) 하나님이시여! 내 마음이 확고하고 내 마음이 확고하니 내가 노래하고 찬송할 것이니이다. **8(9)** 깨어라. 내 영광이여, 일어나라. 네벨(하프)과 킨노르(수금)여, 내가 새벽을 깨울 것이라. **9(10)** 주시여! 내가 백성들 가운데 주께 감사하며 내가 나라들 가운데 주께 찬송하리이다. **10(11)** 이는 주의 인애는 하늘 위에 크시며 주의 진리는 구름까지 이르나이다. **11(12)** 하나님이시여! 하늘 위에 높임을 받으시며 주의 영광은 모든 땅 위에 있나이다.

NET

7(H 57:8) I am determined, O God. I am determined. I will sing and praise you. **8(9)** Awake, my soul! Awake, O stringed instrument and harp! I will wake up at dawn. **9(10)** I will give you thanks before the nations, O Lord. I will sing praises to you before foreigners. **10(11)** For your loyal love extends beyond the sky, and your faithfulness reaches the clouds. **11(12)** Rise up above the sky, O God. May your splendor cover the whole earth.

58 WLC

1 לַמְנַצֵּחַ אַל־תַּשְׁחֵת לְדָוִד מִכְתָּם׃

2 הַאֻמְנָם אֵלֶם צֶדֶק תְּדַבֵּרוּן מֵישָׁרִים תִּשְׁפְּטוּ בְּנֵי אָדָם׃

3 אַף־בְּלֵב עוֹלֹת תִּפְעָלוּן בָּאָרֶץ חֲמַס יְדֵיכֶם תְּפַלֵּסוּן׃

4 זֹרוּ רְשָׁעִים מֵרָחֶם תָּעוּ מִבֶּטֶן דֹּבְרֵי כָזָב׃

5 חֲמַת־לָמוֹ כִּדְמוּת חֲמַת־נָחָשׁ כְּמוֹ־פֶתֶן חֵרֵשׁ יַאְטֵם אָזְנוֹ׃

6 אֲשֶׁר לֹא־יִשְׁמַע לְקוֹל מְלַחֲשִׁים חוֹבֵר חֲבָרִים מְחֻכָּם׃

맛싸성경

(히, 58:1) [지휘자를 위한 알 타셔헷(너는 파괴하지 마라)에 맞춘 다윗의 믹담] **1(2)** 참으로 침묵하려는가? 너희들은 의롭게 말하며 (너희들은) 사람의 아들들을 공평으로 판단하느냐? **2(3)** 오히려 너희들은 마음으로 불의를 행하며 (너희들은) 너희 손들의 폭력을 땅에서 달아주도다. **3(4)** 사악한 자들은 자궁에서부터 길을 잘못 들었으며 배에서부터 방황하여(잘못 행하여) 거짓을 말하는도다. **4(5)** 그들의 독은 뱀의 독과 같으며 그들은 자기의 귀를 막은 귀머거리 코브라와 같아서 **5(6)** 주문을 외우는 지혜로운 마술사의 소리를 듣지 못하도다.

NET

1(H 58:1) For the music director, according to the al-taschcheth style; a prayer of David. **(2)** Do you rulers really pronounce just decisions? Do you judge people fairly? **2(3)** No! You plan how to do what is unjust; you deal out violence in the earth. **3(4)** The wicked turn aside from birth; liars go astray as soon as they are born. **4(5)** Their venom is like that of a snake, like a deaf serpent that does not hear, **5(6)** that does not respond to the magicians, or to a skilled snake charmer.

58 WLC

7 אֱלֹהִים הֲרָס־שִׁנֵּימוֹ בְּפִימוֹ מַלְתְּעוֹת כְּפִירִים נְתֹץ ׀ יְהוָה׃

8 יִמָּאֲסוּ כְמוֹ־מַיִם יִתְהַלְּכוּ־לָמוֹ יִדְרֹךְ [חִצֹּו כ] (חִצָּיו ק) כְּמוֹ יִתְמֹלָלוּ׃

9 כְּמוֹ שַׁבְּלוּל תֶּמֶס יַהֲלֹךְ נֵפֶל אֵשֶׁת בַּל־חָזוּ שָׁמֶשׁ׃

10 בְּטֶרֶם יָבִינוּ סִּירֹתֵיכֶם אָטָד כְּמוֹ־חַי כְּמוֹ־חָרוֹן יִשְׂעָרֶנּוּ׃

11 יִשְׂמַח צַדִּיק כִּי־חָזָה נָקָם פְּעָמָיו יִרְחַץ בְּדַם הָרָשָׁע׃

12 וְיֹאמַר אָדָם אַךְ־פְּרִי לַצַּדִּיק אַךְ יֵשׁ־אֱלֹהִים שֹׁפְטִים בָּאָרֶץ׃

맛싸성경

6(히, 58:7) 하나님이시여! 그들의 입 안에 있는 그 이들을 부수소서. 여호와시여! 사자들의 이빨들을 뽑으소서. **7(8)** 그들로 자기를 위해 흘러가는 물들같이 사라지게 하시고 그들이 자기의 활을 당길 때 그들의 화살들이 부러지게 하소서. **8(9)** 그들로 달팽이같이 녹아 지나가게 하시고 태양을 보지 못한 여인의 낙태(유산)된 아이 같게 하소서. **9(10)** 너희 가마솥이 가시나무를 알기 전에 그것이 살아서 불붙어 있는 것 같이 그가 그것(들)을 불어버릴 것이라. **10(11)** 의인은 그(악인)가 보복당함을 볼 때 기뻐할 것이며 그는 그의 발(들)을 사악한 자의 피로 씻을 것이로다. **11(12)** 사람들이 "참으로 의인에게는 열매가 있으며 참으로 그 땅에는 심판하는 하나님이 계시도다." 말할 것이로다.

NET

6(H 58:7) O God, break the teeth in their mouths! Smash the jawbones of the lions, O Lord. **7(8)** Let them disappear like water that flows away. Let them wither like grass. **8(9)** Let them be like a snail that melts away as it moves along. Let them be like stillborn babies that never see the sun. **9(10)** Before the kindling is even placed under your pots, he will sweep it away along with both the raw and cooked meat. **10(11)** The godly will rejoice when they see vengeance carried out; they will bathe their feet in the blood of the wicked. **11(12)** Then observers will say, "Yes indeed, the godly are rewarded. Yes indeed, there is a God who judges in the earth."

59 WLC

1 לַמְנַצֵּחַ אַל־תַּשְׁחֵת לְדָוִד מִכְתָּם בִּשְׁלֹחַ שָׁאוּל וַיִּשְׁמְרוּ אֶת־הַבַּיִת לַהֲמִיתוֹ׃

2 הַצִּילֵנִי מֵאֹיְבַי ׀ אֱלֹהָי מִמִּתְקוֹמְמַי תְּשַׂגְּבֵנִי׃

3 הַצִּילֵנִי מִפֹּעֲלֵי אָוֶן וּמֵאַנְשֵׁי דָמִים הוֹשִׁיעֵנִי׃

4 כִּי הִנֵּה אָרְבוּ לְנַפְשִׁי יָגוּרוּ עָלַי עַזִּים לֹא־פִשְׁעִי וְלֹא־חַטָּאתִי יְהוָה׃

5 בְּלִי־עָוֺן יְרוּצוּן וְיִכּוֹנָנוּ עוּרָה לִקְרָאתִי וּרְאֵה׃

맛싸성경

(히, 59:1) [지휘자를 위한 알 타셔헷(너는 파괴하지 마라)에 맞춘 다윗의 믹담. 사울이 사람을 보내 그(다윗)를 죽이려고 집을 지킬 때] **1(2)** 내 하나님이시여! 내 원수들로부터 나를 구출하소서. 나에 대하여 일어난 자들로부터 내게 이르지 못하게 하소서. **2(3)** 사악을 행하는 자들로부터 나를 구출하시고 피(흘리는)의 사람들에게서부터 나를 구원하여 주소서. **3(4)** 이는 보소서, 그들이 내 생명을 (취하려고) 엎드려 기다리며 강한 자들이 나를 대하여 공격하나이다. 여호와시여! 내 위반도 아니며 내 죄 (때문도) 아니니 **4(5)** (나의) 잘못이 없어도 그들은 달려와 대항하여 서나이다. 깨셔서 나를 만나시며 (나를) 봐 주소서.

NET

1(H 59:1) For the music director, according to the al-tashcheth style; a prayer of David, written when Saul sent men to surround his house and murder him. **(2)** Deliver me from my enemies, my God. Protect me from those who attack me. **2(3)** Deliver me from evildoers. Rescue me from violent men. **3(4)** For look, they wait to ambush me; powerful men stalk me, but not because I have rebelled or sinned, O Lord. **4(5)** Though I have done nothing wrong, they are anxious to attack. Spring into action and help me. Take notice of me.

59 WLC

6 וְאַתָּה יְהוָה־אֱלֹהִים ׀ צְבָאוֹת אֱלֹהֵי יִשְׂרָאֵל הָקִיצָה לִפְקֹד כָּל־הַגּוֹיִם אַל־תָּחֹן כָּל־בֹּגְדֵי אָוֶן סֶלָה׃

7 יָשׁוּבוּ לָעֶרֶב יֶהֱמוּ כַכָּלֶב וִיסוֹבְבוּ עִיר׃

8 הִנֵּה ׀ יַבִּיעוּן בְּפִיהֶם חֲרָבוֹת בְּשִׂפְתוֹתֵיהֶם כִּי־מִי שֹׁמֵעַ׃

9 וְאַתָּה יְהוָה תִּשְׂחַק־לָמוֹ תִּלְעַג לְכָל־גּוֹיִם׃

맛싸성경

5(히, 59:6) 주는 만군의 하나님 여호와이시며 이스라엘의 하나님이시나이다. 모든 민족들을 벌하시도록 위해서 일어나시며 사악을 행하는 모든 자들에게는 은혜를 베풀지 마소서. 쎌라. **6(7)** 그들은 저녁때 돌아와서 개같이 짖으며 도시 주위를 돌아다니나이다. **7(8)** 보소서, 그들은 그들의 입으로 내뿜고 그들의 입술들에는 칼들이 있나이다. 이는 "누가 듣는가?" 라고 하나이다. **8(9)** 그러나 주 여호와시여! 주는 그들을 비웃으시고 모든 민족들을 조롱하시나이다.

NET

5(H 59:6) You, O Lord God of Heaven's Armies, the God of Israel, rouse yourself and punish all the nations. Have no mercy on any treacherous evildoers. (Selah) **6(7)** They return in the evening; they growl like dogs and prowl around outside the city. **7(8)** Look, they hurl insults at me and openly threaten to kill me, for they say, "Who hears?" **8(9)** But you, O Lord, laugh in disgust at them; you taunt all the nations.

59 WLC

10 עֻזּוֹ אֵלֶיךָ אֶשְׁמֹרָה כִּֽי־אֱלֹהִים מִשְׂגַּבִּֽי׃

11 אֱלֹהֵי [חַסְדּוֹ כ] (חַסְדִּי ק) יְקַדְּמֵנִי אֱלֹהִים יַרְאֵנִי בְשֹׁרְרָֽי׃

12 אַל־תַּהַרְגֵם ׀ פֶּן־יִשְׁכְּחוּ עַמִּי הֲנִיעֵמוֹ בְחֵילְךָ וְהוֹרִידֵמוֹ מָגִנֵּנוּ אֲדֹנָֽי׃

13 חַטַּאת־פִּימוֹ דְּבַר־שְׂפָתֵימוֹ וְיִלָּכְדוּ בִגְאוֹנָם וּמֵאָלָה וּמִכַּחַשׁ יְסַפֵּֽרוּ׃

14 כַּלֵּה בְחֵמָה כַּלֵּה וְֽאֵינֵמוֹ וְיֵדְעוּ כִּֽי־אֱלֹהִים מֹשֵׁל בְּיַעֲקֹב לְאַפְסֵי הָאָרֶץ סֶֽלָה׃

맛싸성경

9(히, 59:10) 나의 힘이시여!(그의 힘으로) 내가 주를 지켜보리니 이는 하나님은 내 피난처이심이니이다. **10(11)** 인애의 하나님이 나를 만나주시리니 하나님은 내 대적들을 나로 보게 하시리이다. **11(12)** 그들을 죽이지 마셔서 내 백성이 잊어버리지 않게 하소서. 우리의 방패이신 주시여! 주의 능력으로 그들을 흔드시고 그들을 내려가게 하소서. **12(13)** (이는) 그들의 입의 죄와 그들의 혀들의 말이니 그들이 그들의 자만으로 사로잡히게 하소서. 그들이 저주와 거짓으로부터 말함이니 **13(14)** 진노로 멸망시키시고 멸망시키셔서 그들로 (다시는) 없게 하시고 하나님께서 야곱을 다스리시며 땅 끝까지 (다스리신다)는 것을 그들로 알게 하소서. 셀라.

NET

9(H 59:10) You are my source of strength. I will wait for you. For God is my refuge. **10(11)** The God who loves me will help me; God will enable me to triumph over my enemies. **11(12)** Do not strike them dead suddenly, because then my people might forget the lesson. Use your power to make them homeless vagabonds and then bring them down, O Lord who shields us. **12(13)** They speak sinful words. So let them be trapped by their own pride and by the curses and lies they speak. **13(14)** Angrily wipe them out. Wipe them out so they vanish. Let them know that God rules over Jacob and to the ends of the earth. (Selah)

59 WLC

15 וְיָשׁוּבוּ לָעֶרֶב יֶהֱמוּ כַכָּלֶב וִיסוֹבְבוּ עִיר׃

16 הֵמָּה [יְנוּעוּן כ] (יְנִיעוּן ק) לֶאֱכֹל אִם־לֹא יִשְׂבְּעוּ וַיָּלִינוּ׃

17 וַאֲנִי ׀ אָשִׁיר עֻזֶּךָ וַאֲרַנֵּן לַבֹּקֶר חַסְדֶּךָ כִּי־הָיִיתָ מִשְׂגָּב לִי וּמָנוֹס בְּיוֹם צַר־לִי׃

18 עֻזִּי אֵלֶיךָ אֲזַמֵּרָה כִּי־אֱלֹהִים מִשְׂגַּבִּי אֱלֹהֵי חַסְדִּי׃

맛싸성경

14(히, 59:15) 그들은 저녁때 돌아와서 개같이 짖으며 도시 주위를 돌아다니나이다. **15(16)** 그들이 먹을 것을 (찾으러) 주위를 배회하다가 만일 그들이 충분히 배부르지 못하면 밤을 지새울 것이니이다. **16(17)** 그러나 나는 주의 힘을 노래하고 아침에 주의 인애를 (큰 소리로) 노래할 것이니 이는 주께서 나를 위한 피난처가 되셨으며 내가 고통당하는 날에 피할 곳이 되셨음이니이다. **17(18)** 나의 힘이신 주시여! 내가 주께 노래하리이다. 이는 하나님은 내 피난처이시며 내 인애의 하나님이심이니이다.

NET

14(H 59:15) They return in the evening; they growl like dogs and prowl around outside the city. **15(16)** They wander around looking for something to eat; they refuse to sleep until they are full. **16(17)** As for me, I will sing about your strength; I will praise your loyal love in the morning. For you are my refuge and my place of shelter when I face trouble. **17(18)** You are my source of strength. I will sing praises to you. For God is my refuge, the God who loves me.

60 WLC

1 לַמְנַצֵּחַ עַל־שׁוּשַׁן עֵדוּת מִכְתָּם לְדָוִד לְלַמֵּד׃

2 בְּהַצּוֹתוֹ ׀ אֶת אֲרַם נַהֲרַיִם וְאֶת־אֲרַם צוֹבָה וַיָּשָׁב יוֹאָב וַיַּךְ אֶת־אֱדוֹם בְּגֵיא־מֶלַח שְׁנֵים עָשָׂר אָלֶף׃

3 אֱלֹהִים זְנַחְתָּנוּ פְרַצְתָּנוּ אָנַפְתָּ תְּשׁוֹבֵב לָנוּ׃

4 הִרְעַשְׁתָּה אֶרֶץ פְּצַמְתָּהּ רְפָה שְׁבָרֶיהָ כִי־מָטָה׃

5 הִרְאִיתָה עַמְּךָ קָשָׁה הִשְׁקִיתָנוּ יַיִן תַּרְעֵלָה׃

6 נָתַתָּה לִּירֵאֶיךָ נֵּס לְהִתְנוֹסֵס מִפְּנֵי קֹשֶׁט סֶלָה׃

맛싸성경

(히, 60:1) [지휘자를 위하여 슈샨 에두트(언약의 백합화)에 (맞추어) 가르치기 위한 다윗의 믹담. **(2)** 그(다윗)가 아람 나하라임과 아람 초바와 싸웠을 때 또 요압이 돌아와 에돔 사람 12,000 명을 소금의 골짜기에서 쳤을 때] **1(3)** 하나님이시여! 주께서 우리들을 버리셨고 우리들을 흩으셨으며 주께서 노하셨나이다. 오! 우리들을 회복시키소서. **2(4)** 주께서 땅을 진동시켜서 그것을 가르셨나이다. 그것(땅)이 흔들리니 그것의 갈라진 것을 고치소서. **3(5)** 주께서 주의 백성으로 어려운 것들을 보게 하셨고 (주께서) 우리들로 하여금 비틀거리게 하는 포도주를 마시게 하셨나이다. **4(6)** 주께서 주를 두려워하는 자에게 깃발을 주시고 그들로 활에서 도망하게 하셨나이다. 셀라.

NET

1(H 60:1) For the music director, according to the shushan-eduth style; a prayer of David written to instruct others. **(2)** It was written when he fought against Aram Naharaim and Aram Zobah. That was when Joab turned back and struck down 12,000 Edomites in the Valley of Salt. **(3)** O God, you have rejected us. You suddenly turned on us in your anger. Please restore us! **2(4)** You made the earth quake; you split it open. Repair its breaches, for it is ready to fall. **3(5)** You have made your people experience hard times; you have made us drink intoxicating wine. **4(6)** You have given your loyal followers a rallying flag, so that they might seek safety from the bow. (Selah)

60 WLC

7 לְמַעַן יֵחָלְצוּן יְדִידֶיךָ הוֹשִׁיעָה יְמִינְךָ [וַעֲנֵנוּ כ] (וַעֲנֵנִי ק)׃

8 אֱלֹהִים ׀ דִּבֶּר בְּקָדְשׁוֹ אֶעְלֹזָה אֲחַלְּקָה שְׁכֶם וְעֵמֶק סֻכּוֹת אֲמַדֵּד׃

9 לִי גִלְעָד ׀ וְלִי מְנַשֶּׁה וְאֶפְרַיִם מָעוֹז רֹאשִׁי יְהוּדָה מְחֹקְקִי׃

10 מוֹאָב ׀ סִיר רַחְצִי עַל־אֱדוֹם אַשְׁלִיךְ נַעֲלִי עָלַי פְּלֶשֶׁת הִתְרֹעָעִי׃

11 מִי יֹבִלֵנִי עִיר מָצוֹר מִי נָחַנִי עַד־אֱדוֹם׃

12 הֲלֹא־אַתָּה אֱלֹהִים זְנַחְתָּנוּ וְלֹא־תֵצֵא אֱלֹהִים בְּצִבְאוֹתֵינוּ׃

13 הָבָה־לָּנוּ עֶזְרָת מִצָּר וְשָׁוְא תְּשׁוּעַת אָדָם׃

14 בֵּאלֹהִים נַעֲשֶׂה־חָיִל וְהוּא יָבוּס צָרֵינוּ׃

맛싸성경

5(히, 60:7) 주의 사랑받는 자들이 구출되도록 주의 오른손으로 구원하시고 내게 응답하소서. **6(8)** 하나님은 그분의 거룩하심으로 말씀하셨으니 "내가 (승리로) 기뻐하며 내가 세겜을 나누어주고 숙곳의 골짜기를 측량할 것이라. **7(9)** 길르앗은 내 것이며 메낫쉐(므낫세)도 내 것이다. 에프라임은 내 머리의 투구이며 유다는 내 통치자이다. **8(10)** 모압은 씻는 물통이며 에돔에 내가 내 신발을 던질 것이라. 블레셋은 나를 인하여 환호성을 지를 것이라." **9(11)** 누가 나를 강한 도시로 데리고 가며 누가 나를 에돔으로 인도할 것인가? **10(12)** 하나님이시여! 주께서 우리를 버리지 않으셨나이까? 하나님이시여! 우리의 군대와 함께 나가지 않으시나이까? **11(13)** 대적들에게서부터 우리에게 도움을 허락하소서. 사람의 구원은 헛되나이다. **12(14)** 하나님으로(과 함께) 우리가 용감하게 행할 것이니 그분께서 우리 대적을 짓밟으실 것이라.

NET

5(H 60:7) Deliver by your power and answer me, so that the ones you love may be safe. **6(8)** God has spoken in his sanctuary: "I will triumph. I will parcel out Shechem; the Valley of Sukkoth I will measure off. **7(9)** Gilead belongs to me, as does Manasseh. Ephraim is my helmet, Judah my royal scepter. **8(10)** Moab is my washbasin. I will make Edom serve me. I will shout in triumph over Philistia." **9(11)** Who will lead me into the fortified city? Who will bring me to Edom? **10(12)** Have you not rejected us, O God? O God, you do not go into battle with our armies. **11(13)** Give us help against the enemy, for any help men might offer is futile. **12(14)** By God's power we will conquer; he will trample down our enemies.

61 WLC

1 לַמְנַצֵּחַ ׀ עַֽל־נְגִינַת לְדָוִד׃

2 שִׁמְעָה אֱלֹהִים רִנָּתִי הַקְשִׁיבָה תְּפִלָּתִי׃

3 מִקְצֵה הָאָרֶץ ׀ אֵלֶיךָ אֶקְרָא בַּעֲטֹף לִבִּי בְּצוּר־יָרוּם מִמֶּנִּי תַנְחֵנִי׃

4 כִּי־הָיִיתָ מַחְסֶה לִי מִגְדַּל־עֹז מִפְּנֵי אוֹיֵב׃

5 אָגוּרָה בְאָהָלְךָ עוֹלָמִים אֶחֱסֶה בְסֵתֶר כְּנָפֶיךָ סֶּלָה׃

6 כִּי־אַתָּה אֱלֹהִים שָׁמַעְתָּ לִנְדָרָי נָתַתָּ יְרֻשַּׁת יִרְאֵי שְׁמֶךָ׃

7 יָמִים עַל־יְמֵי־מֶלֶךְ תּוֹסִיף שְׁנוֹתָיו כְּמוֹ־דֹר וָדֹר׃

8 יֵשֵׁב עוֹלָם לִפְנֵי אֱלֹהִים חֶסֶד וֶאֱמֶת מַן יִנְצְרֻהוּ׃

9 כֵּן אֲזַמְּרָה שִׁמְךָ לָעַד לְשַׁלְּמִי נְדָרַי יוֹם ׀ יוֹם׃

맛싸성경

(히, 61.1) [지휘자를 위하여 느기놋에 맞춘 다윗 (의 시)] **1(2)** 하나님이시여! 내 부르짖음을 들으소서. 내 기도에 경청해 주소서. **2(3)** 내 마음이 약해질 때 땅 끝에서부터 내가 주를 부르짖나이다. 나보다 높은 바위로 나를 인도하소서. **3(4)** 이는 주는 나의 피난처이시며 원수들의 앞에서 강력한 망대이심이니이다. **4(5)** 내가 주의 천막(장막)에서 영원히 거할 것이며 주의 날개의 보호로 내가 피하나이다. 셀라. **5(6)** 하나님이시여! 이는 주께서 내 서원을 들으셨음이니이다. 주께서 주의 이름을 두려워하는 자들의 소유를 내게 주셨나이다. **6(7)** 주께서 왕의 날들에 날들을 더하시며 그의 연수들이 세대와 세대에 이르게(더하게) 하소서. **7(8)** 그가 하나님 앞에서 영원히 거하게 하시고 인애와 진리를 허락하셔서 (그것들이) 그를 돌보아 주소서. **8(9)** 그러므로 내가 주의 이름을 영원히 노래하며 날마다 내 서원을 갚을 것이니이다.

NET

1(H 61:1) For the music director, to be played on a stringed instrument; written by David. **(2)** O God, hear my cry for help. Pay attention to my prayer. **2(3)** From the remotest place on earth I call out to you in my despair. Lead me up to a rocky summit where I can be safe. **3(4)** Indeed, you are my shelter, a strong tower that protects me from the enemy. **4(5)** I will be a permanent guest in your home; I will find shelter in the protection of your wings. (Selah) **5(6)** For you, O God, hear my vows; you grant me the reward that belongs to your loyal followers. **6(7)** Give the king long life. Make his lifetime span several generations. **7(8)** May he reign forever before God. Decree that your loyal love and faithfulness should protect him. **8(9)** Then I will sing praises to your name continually, as I fulfill my vows day after day.

62 WLC

1 לַמְנַצֵּחַ עַל־יְדוּתוּן מִזְמוֹר לְדָוִד׃

2 אַךְ אֶל־אֱלֹהִים דּוּמִיָּה נַפְשִׁי מִמֶּנּוּ יְשׁוּעָתִי׃

3 אַךְ־הוּא צוּרִי וִישׁוּעָתִי מִשְׂגַּבִּי לֹא־אֶמּוֹט רַבָּה׃

4 עַד־אָנָה ׀ תְּהוֹתְתוּ עַל אִישׁ תְּרָצְּחוּ כֻלְּכֶם כְּקִיר נָטוּי
גָּדֵר הַדְּחוּיָה׃

5 אַךְ מִשְּׂאֵתוֹ ׀ יָעֲצוּ לְהַדִּיחַ יִרְצוּ כָזָב בְּפִיו יְבָרֵכוּ
וּבְקִרְבָּם יְקַלְלוּ־סֶלָה׃

맛싸성경

(히, 62:1) [지휘자를 위하여 여두툰에 맞춘 다윗의 시] **1(2)** 오직 내 영혼이 하나님께 잠잠함이여, 내 구원은 그분께로 나오도다. **2(3)** 오직 그분은 내 바위이시고 내 구원이시며 내 피난처이시니 내가 크게 흔들리지 않을 것이라. **3(4)** 언제까지 너희는 사람을 공격하며 너희 모두는 넘어진 담과 밀려진 울타리같이 그들을 죽이려고 하는가? **4(5)** 참으로 그들은 자기 높은 지위에서 (사람들을) 몰아내려고 계획하고 거짓을 기뻐하도다. 그들의 입으로 축복을 하나 그들 속에서 저주를 하는도다. 셀라.

NET

1(H 62:1) For the music director, Jeduthun; a psalm of David. **(2)** For God alone I patiently wait; he is the one who delivers me. **2(3)** He alone is my protector and deliverer. He is my refuge; I will not be upended. **3(4)** How long will you threaten a man like me? All of you are murderers, as dangerous as a leaning wall or an unstable fence. **4(5)** They spend all their time planning how to bring their victim down. They love to use deceit; they pronounce blessings with their mouths, but inwardly they utter curses. (Selah)

62 WLC

6 אַךְ לֵאלֹהִים דּוֹמִּי נַפְשִׁי כִּי־מִמֶּנּוּ תִּקְוָתִי׃

7 אַךְ־הוּא צוּרִי וִישׁוּעָתִי מִשְׂגַּבִּי לֹא אֶמּוֹט׃

8 עַל־אֱלֹהִים יִשְׁעִי וּכְבוֹדִי צוּר־עֻזִּי מַחְסִי בֵּאלֹהִים׃

9 בִּטְחוּ בוֹ בְכָל־עֵת ׀ עָם שִׁפְכוּ־לְפָנָיו לְבַבְכֶם אֱלֹהִים מַחֲסֶה־לָּנוּ סֶלָה׃

10 אַךְ ׀ הֶבֶל בְּנֵי־אָדָם כָּזָב בְּנֵי אִישׁ בְּמֹאזְנַיִם לַעֲלוֹת הֵמָּה מֵהֶבֶל יָחַד׃

11 אַל־תִּבְטְחוּ בְעֹשֶׁק וּבְגָזֵל אַל־תֶּהְבָּלוּ חַיִל ׀ כִּי־יָנוּב אַל־תָּשִׁיתוּ לֵב׃

12 אַחַת ׀ דִּבֶּר אֱלֹהִים שְׁתַּיִם־זוּ שָׁמָעְתִּי כִּי עֹז לֵאלֹהִים׃

13 וּלְךָ־אֲדֹנָי חָסֶד כִּי־אַתָּה תְשַׁלֵּם לְאִישׁ כְּמַעֲשֵׂהוּ׃

맛싸성경

5(히, 62:6) 오직 내 영혼아, 하나님께 잠잠하라. 이는 내 소망은 그분께로 나오도다. **6(7)** 오직 그분은 내 바위이시고 내 구원이시며 내 피난처이시니 내가 흔들리지 않을 것이라. **7(8)** 내 구원과 내 영광은 하나님께 있으며 내 능력의 바위와 내 피난처도 하나님께 있도다. **8(9)** 백성들아, 모든 때에 그분을 신뢰하고 너희 마음들을 그 앞에서 쏟아내라. 하나님은 우리들의 피난처이시도다. 셀라. **9(10)** 참으로 사람의 아들들은 호흡이라. 사람의 아들들은 거짓이니 저울에 올린다면 그들 모두는 호흡이라. **10(11)** 너희는 강탈을 의존하지 말고 훔친 물건을 헛되게 바라지 마라. 부가 번성하여도 너희는 마음을 두지 마라. **11(12)** 하나님께서 한번 말씀하셨고 두 번이나 내가 그것을 들었으니 이는 능력은 하나님에게 속한 것이라. **12(13)** 주시여! 인애는 주님께 속한 것이니이다. 이는 주께서 (각) 사람을 자기 행위에 따라서 갚으실 것이니이다.

NET

5(H 62:6) Patiently wait for God alone, my soul! For he is the one who gives me hope. **6(7)** He alone is my protector and deliverer. He is my refuge; I will not be shaken. **7(8)** God delivers me and exalts me; God is my strong protector and my shelter. **8(9)** Trust in him at all times, you people! Pour out your hearts before him. God is our shelter. (Selah) **9(10)** Men are nothing but a mere breath; human beings are unreliable. When they are weighed in the scales, all of them together are lighter than air. **10(11)** Do not trust in what you can gain by oppression. Do not put false confidence in what you can gain by robbery. If wealth increases, do not become attached to it. **11(12)** God has declared one principle; two principles I have heard: God is strong, **12(13)** and you, O Lord, demonstrate loyal love. For you repay men for what they do.

63 WLC

1 מִזְמוֹר לְדָוִד בִּהְיוֹתוֹ בְּמִדְבַּר יְהוּדָה׃

2 אֱלֹהִים ׀ אֵלִי אַתָּה אֲשַׁחֲרֶךָּ צָמְאָה לְךָ ׀ נַפְשִׁי כָּמַהּ לְךָ בְשָׂרִי בְּאֶרֶץ־צִיָּה וְעָיֵף בְּלִי־מָיִם׃

3 כֵּן בַּקֹּדֶשׁ חֲזִיתִיךָ לִרְאוֹת עֻזְּךָ וּכְבוֹדֶךָ׃

4 כִּי־טוֹב חַסְדְּךָ מֵחַיִּים שְׂפָתַי יְשַׁבְּחוּנְךָ׃

5 כֵּן אֲבָרֶכְךָ בְחַיָּי בְּשִׁמְךָ אֶשָּׂא כַפָּי׃

맛싸성경

(히, 63:1) [그가 유다 광야에 있었을 때 (지은) 다윗의 시] **1(2)** 하나님이시여! 주는 내 하나님이시니 내가 주를 간절히 찾나이다. 내 육체가 물이 없어 마르고 메마른 땅에서와 같이 내 영혼도 주를 간절히 찾나이다. **2(3)** 그러므로 주의 능력과 주의 영광을 보려고 내가 성소에서 주를 바라보나이다. **3(4)** 주의 인애하심이 생명(들)보다 좋으므로 내 입술이 주를 찬미하리이다. **4(5)** 그러므로 내 생애에 나는 주를 송축하며 주의 이름으로 내 손을 들겠나이다.

NET

1(H 63:1) A psalm of David, written when he was in the Judean wilderness. **(2)** O God, you are my God. I long for you. My soul thirsts for you, my flesh yearns for you, in a dry and parched land where there is no water. **2(3)** Yes, in the sanctuary I have seen you, and witnessed your power and splendor. **3(4)** Because experiencing your loyal love is better than life itself, my lips will praise you. **4(5)** For this reason I will praise you while I live; in your name I will lift up my hands.

63 WLC

6 כְּמוֹ חֵלֶב וָדֶשֶׁן תִּשְׂבַּע נַפְשִׁי וְשִׂפְתֵי רְנָנוֹת יְהַלֶּל־פִּי׃

7 אִם־זְכַרְתִּיךָ עַל־יְצוּעָי בְּאַשְׁמֻרוֹת אֶהְגֶּה־בָּךְ׃

8 כִּי־הָיִיתָ עֶזְרָתָה לִּי וּבְצֵל כְּנָפֶיךָ אֲרַנֵּן׃

9 דָּבְקָה נַפְשִׁי אַחֲרֶיךָ בִּי תָּמְכָה יְמִינֶךָ׃

10 וְהֵמָּה לְשׁוֹאָה יְבַקְשׁוּ נַפְשִׁי יָבֹאוּ בְּתַחְתִּיּוֹת הָאָרֶץ׃

11 יַגִּירֻהוּ עַל־יְדֵי־חָרֶב מְנָת שֻׁעָלִים יִהְיוּ׃

12 וְהַמֶּלֶךְ יִשְׂמַח בֵּאלֹהִים יִתְהַלֵּל כָּל־הַנִּשְׁבָּע בּוֹ

כִּי יִסָּכֵר פִּי דוֹבְרֵי־שָׁקֶר׃

맛싸성경

5(히, 63:6) 기름과 풍부함을 (먹음)같이 내 영혼은 만족할 것이며 내 입이 기쁜 소리를 내는 입술로 (주를) 찬양할 것이니 **6(7)** 내 침상에서 내가 주를 기억할 때 밤에 주께 속삭이나이다. **7(8)** 이는 주는 나의 도움이시며 주의 날개(들) 그늘에서 내가 기뻐 노래하나이다. **8(9)** 내 영혼이 주의 뒤를 붙들며 주의 오른손이 나를 붙잡으시나이다. **9(10)** 그러나 내 영혼을 찾아 파멸하려고 구하는 자들은 (그) 땅의 낮은 곳으로 들어가게 하시고 **10(11)** 그들로 칼자루들 위로 쏟아지며 여우들의 몫이 되게 하소서. **11(12)** 그러나 왕은 하나님 안에서 즐거워하고 그분께 맹세한 모든 자들은 그분을 찬양하나 거짓을 말하는 자들의 입은 멈춰지게 하소서.

NET

5(H 63:6) As with choice meat you satisfy my soul. My mouth joyfully praises you, **6(7)** whenever I remember you on my bed, and think about you during the nighttime hours. **7(8)** For you are my deliverer; under your wings I rejoice. **8(9)** My soul pursues you; your right hand upholds me. **9(10)** Enemies seek to destroy my life, but they will descend into the depths of the earth. **10(11)** Each one will be handed over to the sword; their corpses will be eaten by jackals. **11(12)** But the king will rejoice in God; everyone who takes oaths in his name will boast, for the mouths of those who speak lies will be shut up.

64 WLC

1 לַמְנַצֵּחַ מִזְמוֹר לְדָוִד׃

2 שְׁמַע־אֱלֹהִים קוֹלִי בְשִׂיחִי מִפַּחַד אוֹיֵב תִּצֹּר חַיָּי׃

3 תַּסְתִּירֵנִי מִסּוֹד מְרֵעִים מֵרִגְשַׁת פֹּעֲלֵי אָוֶן׃

4 אֲשֶׁר שָׁנְנוּ כַחֶרֶב לְשׁוֹנָם דָּרְכוּ חִצָּם דָּבָר מָר׃

5 לִירוֹת בַּמִּסְתָּרִים תָּם פִּתְאֹם יֹרֻהוּ וְלֹא יִירָאוּ׃

맛싸성경

(히, 64:1) [지휘자를 위한 다윗의 시] **1(2)** 하나님이시여! 내 애통에서 내 음성을 들으시고 원수의 두려움에서부터 내 생명을 보호하소서. **2(3)** 행악자들의 음모와 악을 행하는 자들의 선동에서 나를 숨겨 주옵소서. **3(4)** 그들은 그들의 혀를 칼같이 날카롭게 하였고 독한 말로 그들의 화살을 쏘려 하며 **4(5)** 비밀스러운 곳에서 온전한 자를 쏘려 하니 그들은 갑자기 쏘고도 두려워하지 않나이다.

NET

1(H 64:1) For the music director, a psalm of David. **(2)** Listen to me, O God, as I offer my lament! Protect my life from the enemy's terrifying attacks. **2(3)** Hide me from the plots of evil men, from the crowd of evildoers. **3(4)** They sharpen their tongues like swords; they aim their arrows, a slanderous charge, **4(5)** in order to shoot down the innocent in secluded places. They shoot at him suddenly and are unafraid of retaliation.

 WLC

6 יְחַזְּקוּ־לָמוֹ ׀ דָּבָר רָע יְסַפְּרוּ לִטְמוֹן מוֹקְשִׁים אָמְרוּ מִי יִרְאֶה־לָּמוֹ׃

7 יַחְפְּשׂוּ־עוֹלֹת תַּמְנוּ חֵפֶשׂ מְחֻפָּשׂ וְקֶרֶב אִישׁ וְלֵב עָמֹק׃

8 וַיֹּרֵם אֱלֹהִים חֵץ פִּתְאוֹם הָיוּ מַכּוֹתָם׃

9 וַיַּכְשִׁילוּהוּ עָלֵימוֹ לְשׁוֹנָם יִתְנֹדְדוּ כָּל־רֹאֵה בָם׃

10 וַיִּירְאוּ כָּל־אָדָם וַיַּגִּידוּ פֹּעַל אֱלֹהִים וּמַעֲשֵׂהוּ הִשְׂכִּילוּ׃

11 יִשְׂמַח צַדִּיק בַּיהוָה וְחָסָה בוֹ וְיִתְהַלְלוּ כָּל־יִשְׁרֵי־לֵב׃

맛싸성경

5(히, 64:6) 그들은 악한 말(일)로 자기들을 독려하며 올가미를 숨기려고 보고하고"누가 그들을 보겠느냐?"고 말하나이다. **6(7)** 그들은 악을 연구해 놓았으며 "우리가 모의한 모의를 다 끝냈다."고 하니 사람의 속과 마음은 알 수가 없나이다. **7(8)** 그러나 하나님께서 그들에게 화살을 쏘실 것이니 그들은 갑자기(순식간에) 부상당할 것이니이다. **8(9)** 그들의 혀가 그들을 넘어지게 할 것이니 그들을 보는 모든 자들이 도망갈 것이니이다. **9(10)** 모든 사람들은 두려워하여 하나님의 하신 일을 선포하며 그분의 행하신 일을 이해하게 될 것이니이다. **10(11)** 의인들이 여호와를 즐거워하고 그분 안에 피할 것이니 마음이 올바른 자들은 찬양할 것이니이다.

NET

5(H 64:6) They encourage one another to carry out their evil deed. They plan how to hide snares and boast, "Who will see them?" **6(7)** They devise unjust schemes; they disguise a well-conceived plot. Man's inner thoughts cannot be discovered. **7(8)** But God will shoot at them; suddenly they will be wounded by an arrow. **8(9)** Their slander will bring about their demise. All who see them will shudder, **9(10)** and all people will fear. They will proclaim what God has done, and reflect on his deeds. **10(11)** The godly will rejoice in the Lord and take shelter in him. All the morally upright will boast.

65 WLC

1 לַמְנַצֵּחַ מִזְמוֹר לְדָוִד שִׁיר׃

2 לְךָ דֻמִיָּה תְהִלָּה אֱלֹהִים בְּצִיּוֹן וּלְךָ יְשֻׁלַּם־נֶדֶר׃

3 שֹׁמֵעַ תְּפִלָּה עָדֶיךָ כָּל־בָּשָׂר יָבֹאוּ׃

4 דִּבְרֵי עֲוֹנֹת גָּבְרוּ מֶנִּי פְּשָׁעֵינוּ אַתָּה תְכַפְּרֵם׃

5 אַשְׁרֵי ׀ תִּבְחַר וּתְקָרֵב יִשְׁכֹּן חֲצֵרֶיךָ נִשְׂבְּעָה בְּטוּב בֵּיתֶךָ קְדֹשׁ הֵיכָלֶךָ׃

6 נוֹרָאוֹת ׀ בְּצֶדֶק תַּעֲנֵנוּ אֱלֹהֵי יִשְׁעֵנוּ מִבְטָח כָּל־קַצְוֵי־אֶרֶץ וְיָם רְחֹקִים׃

맛싸성경

(히, 65:1) [지휘자를 위한 다윗의 시. 노래] **1(2)** 주께 잠잠히 기다림이여, 시온에서 하나님께 찬양이 있나이다. 그리고 주께만 서원이 이행되어질 것이니이다. **2(3)** 기도를 들으시는 주시여! 모든 육체가 주께로 나아올 것이니이다. **3(4)** 부정(죄악의) 일들이 나보다 강하나 주는 우리들의 위반들을 용서하나이다. **4(5)** 복 있는 자는 주께서 (선)택하시고 가까이 오게 한 자들이니 그는 주의 뜰에서 거하는 자들이니이다. 우리는 주의 집의 좋은 곳과 주의 성전의 거룩한 곳으로 만족할 것이니이다. **5(6)** 우리 구원의 하나님이시여! 의로우신 놀라운 일들로 우리들에게 응답하여 주소서. (주는) 땅 끝과 먼바다의 모든 자들에게 신뢰할 분이시니

NET

1(H 65:1) For the music director, a psalm of David, a song. **(2)** Praise awaits you, O God, in Zion. Vows made to you are fulfilled. **2(3)** You hear prayers; all people approach you. **3(4)** Our record of sins overwhelms me, but you forgive our acts of rebellion. **4(5)** How blessed is the one whom you choose and allow to live in your palace courts. May we be satisfied with the good things of your house— your holy palace. **5(6)** You answer our prayers by performing awesome acts of deliverance, O God, our savior. All the ends of the earth trust in you, as well as those living across the wide seas.

65 WLC

7 מֵכִין הָרִים בְּכֹחוֹ נֶאְזָר בִּגְבוּרָה׃

8 מַשְׁבִּיחַ ׀ שְׁאוֹן יַמִּים שְׁאוֹן גַּלֵּיהֶם וַהֲמוֹן לְאֻמִּים׃

9 וַיִּירְאוּ ׀ יֹשְׁבֵי קְצָוֺת מֵאוֹתֹתֶיךָ מוֹצָאֵי־בֹקֶר וָעֶרֶב תַּרְנִין׃

10 פָּקַדְתָּ הָאָרֶץ ׀ וַתְּשֹׁקְקֶהָ רַבַּת תַּעְשְׁרֶנָּה פֶּלֶג אֱלֹהִים מָלֵא מָיִם

תָּכִין דְּגָנָם כִּי־כֵן תְּכִינֶהָ׃

11 תְּלָמֶיהָ רַוֵּה נַחֵת גְּדוּדֶיהָ בִּרְבִיבִים תְּמֹגְגֶנָּה צִמְחָהּ תְּבָרֵךְ׃

12 עִטַּרְתָּ שְׁנַת טוֹבָתֶךָ וּמַעְגָּלֶיךָ יִרְעֲפוּן דָּשֶׁן׃

13 יִרְעֲפוּ נְאוֹת מִדְבָּר וְגִיל גְּבָעוֹת תַּחְגֹּרְנָה׃

14 לָבְשׁוּ כָרִים ׀ הַצֹּאן וַעֲמָקִים יַעַטְפוּ־בָר יִתְרוֹעֲעוּ אַף־יָשִׁירוּ׃

맛싸성경

6(히, 65:7) 그분의 힘으로 산(들)을 세우시고 능력으로 띠를 두르시며 **7(8)** 바다의 노호와 그 파도의 노호와 나라(백성)들의 소동을 잠잠하게 하시나이다. **8(9)** (땅) 끝에 사는 자들을 주의 기이한 일들로 두렵게 하시나이다. 주께서 아침과 저녁이 오는 것을 즐겁게 하시나이다. **9(10)** 땅을 돌아보시고 그것에 물을 주셔서 그것을 매우 풍요롭게 하시며 하나님의 수로가 물들로 채워졌나이다. 주께서 그들의 곡식을 준비해 주시니 이는 주께서 그것(땅)을 그렇게 준비하셨음이니이다. **10(11)** 주께서 고랑에 물을 대시고 그 이랑을 평평하게 하시며 봄비로 그곳을 부드럽게 하셔서 그 싹들에 복 주시나이다. **11(12)** 주께서 (한) 해를 주의 선하심으로 관을 씌우시니 주의 수렛길에는 기름이 흘러내리나이다. **12(13)** 그것(기름)들로 광야의 초장들에도 흘러내리게 하시며 언덕들로 기쁨으로 옷 입게 하시나이다. **13(14)** 초장(들)은 양 떼들로 옷 입고 골짜기(들)는 곡식으로 덮게 하셔서 그들로 즐거워 소리 지르며 노래하게 하시나이다.

NET

6(H 65:7) You created the mountains by your power and demonstrated your strength. **7(8)** You calmed the raging seas and their roaring waves, as well as the commotion made by the nations. **8(9)** Even those living in the remotest areas are awestruck by your acts; you cause those living in the east and west to praise you. **9(10)** You visit the earth and give it rain; you make it rich and fertile. God's streams are full of water; you provide grain for the people of the earth, for you have prepared the earth in this way. **10(11)** You saturate its furrows, and soak its plowed ground. With rain showers you soften its soil, and make its crops grow. **11(12)** You crown the year with your good blessings, and you leave abundance in your wake. **12(13)** The pastures in the wilderness glisten with moisture, and the hills are clothed with joy. **13(14)** The meadows are clothed with sheep, and the valleys are covered with grain. They shout joyfully, yes, they sing.

66 WLC

1 לַמְנַצֵּחַ שִׁיר מִזְמוֹר הָרִיעוּ לֵאלֹהִים כָּל־הָאָרֶץ׃

2 זַמְּרוּ כְבוֹד־שְׁמוֹ שִׂימוּ כָבוֹד תְּהִלָּתוֹ׃

3 אִמְרוּ לֵאלֹהִים מַה־נּוֹרָא מַעֲשֶׂיךָ בְּרֹב עֻזְּךָ יְכַחֲשׁוּ לְךָ אֹיְבֶיךָ׃

4 כָּל־הָאָרֶץ ׀ יִשְׁתַּחֲווּ לְךָ וִיזַמְּרוּ־לָךְ יְזַמְּרוּ שִׁמְךָ סֶלָה׃

5 לְכוּ וּרְאוּ מִפְעֲלוֹת אֱלֹהִים נוֹרָא עֲלִילָה עַל־בְּנֵי אָדָם׃

6 הָפַךְ יָם ׀ לְיַבָּשָׁה בַּנָּהָר יַעַבְרוּ בְרָגֶל שָׁם נִשְׂמְחָה־בּוֹ׃

7 מֹשֵׁל בִּגְבוּרָתוֹ ׀ עוֹלָם עֵינָיו בַּגּוֹיִם תִּצְפֶּינָה

הַסּוֹרְרִים ׀ אַל־[יָרִימוּ כ] (יָרוּמוּ ק) לָמוֹ סֶלָה׃

맛싸성경

1 [지휘자를 위한 노래. 시] 온 땅이여, 하나님께 큰 소리로 외쳐라. 2 그 이름의 영광을 노래하고 영광스러운 찬양을 그분께 드려라. 3 하나님께 아뢰라. "주의 행하신 일이 얼마나 두려우신지요. 주의 힘의 크심으로 주의 원수들이 주께 복종할 것이며 4 온 땅이 주께 예배하고 주께 노래할 것이며 그들이 주의 이름을 노래할 것이나이다." 셀라. 5 와서 하나님의 행하신 일을 보아라, 사람의 아들들을 위하여 하신 두려우신 것들이라. 6 그분이 바다를 마른 땅으로 바꾸시니 그들이 강을 발로 지나갔고 거기서 우리들도 그분 안에서 즐거워하도다. 7 그분은 그의 능력으로 영원히 통치하시며 그 눈으로 민족들을 지켜보시니 완고한 자들은 그에게 높이 들지(교만하지) 마라. 셀라.

NET

1 For the music director, a song, a psalm. Shout out praise to God, all the earth! 2 Sing praises about the majesty of his reputation. Give him the honor he deserves! 3 Say to God: "How awesome are your deeds! Because of your great power your enemies cower in fear before you. 4 All the earth worships you and sings praises to you. They sing praises to your name." (Selah) 5 Come and witness God's exploits! His acts on behalf of people are awesome. 6 He turned the sea into dry land; they passed through the river on foot. Let us rejoice in him there. 7 He rules by his power forever; he watches the nations. Stubborn rebels should not exalt themselves. (Selah)

66 WLC

8 בָּרְכוּ עַמִּים ׀ אֱלֹהֵינוּ וְהַשְׁמִיעוּ קוֹל תְּהִלָּתוֹ׃

9 הַשָּׂם נַפְשֵׁנוּ בַּחַיִּים וְלֹא־נָתַן לַמּוֹט רַגְלֵנוּ׃

10 כִּי־בְחַנְתָּנוּ אֱלֹהִים צְרַפְתָּנוּ כִּצְרָף־כָּסֶף׃

11 הֲבֵאתָנוּ בַמְּצוּדָה שַׂמְתָּ מוּעָקָה בְמָתְנֵינוּ׃

12 הִרְכַּבְתָּ אֱנוֹשׁ לְרֹאשֵׁנוּ בָּאנוּ־בָאֵשׁ וּבַמַּיִם וַתּוֹצִיאֵנוּ לָרְוָיָה׃

13 אָבוֹא בֵיתְךָ בְעוֹלוֹת אֲשַׁלֵּם לְךָ נְדָרָי׃

14 אֲשֶׁר־פָּצוּ שְׂפָתָי וְדִבֶּר־פִּי בַּצַּר־לִי׃

15 עֹלוֹת מֵחִים אַעֲלֶה־לָּךְ עִם־קְטֹרֶת אֵילִים אֶעֱשֶׂה בָקָר עִם־

עַתּוּדִים סֶלָה׃

맛싸성경

8 백성들아, 우리의 하나님을 송축하고 그(분에 대한) 찬양의 소리가 들리게 하여라. **9** 그분은 우리 영혼을 생명에 두시고 우리의 발(들)을 흔들리게 내주지 않으셨도다. **10** 하나님이시여! 이는 주께서 우리를 시험하셨고 은을 연단하는 것같이 우리를 연단하셨나이다. **11** 주께서 우리를 그물로 이끄셔서 우리 허리에 고통을 두셨으며 **12** 주께서 사람들로 우리 머리 위에서 타게 하셨고 우리는 불과 물 (가운데)로 갔으나 주께서 우리를 넘치는(풍성한) 곳으로 이끄셨나이다. **13** 내가 주의 집으로 태움 제물을 (가지고) 가서 주께 내 서원을 이행하리니 **14** 그것은 내가 고난 중에서 내 입술을 움직여(열어) 내 입이 말한 것이니이다. **15** 내가 주께 살찐 태움 제물을 숫양들의 향기와 함께 드릴 것이며 숫염소들과 수소를 드릴 것이니이다.셀라.

NET

8 Praise our God, you nations. Loudly proclaim his praise. **9** He preserves our lives and does not allow our feet to slip. **10** For you, O God, tested us; you purified us like refined silver. **11** You led us into a trap; you caused us to suffer. **12** You allowed men to ride over our heads; we passed through fire and water, but you brought us out into a wide open place. **13** I will enter your temple with burnt sacrifices; I will fulfill the vows I made to you, **14** which my lips uttered and my mouth spoke when I was in trouble. **15** I will offer up to you fattened animals as burnt sacrifices, along with the smell of sacrificial rams. I will offer cattle and goats. (Selah)

66 WLC

16 לְכוּ־שִׁמְעוּ וַאֲסַפְּרָה כָּל־יִרְאֵי אֱלֹהִים אֲשֶׁר עָשָׂה לְנַפְשִׁי׃

17 אֵלָיו פִּי־קָרָאתִי וְרוֹמַם תַּחַת לְשׁוֹנִי׃

18 אָוֶן אִם־רָאִיתִי בְלִבִּי לֹא יִשְׁמַע ׀ אֲדֹנָי׃

19 אָכֵן שָׁמַע אֱלֹהִים הִקְשִׁיב בְּקוֹל תְּפִלָּתִי׃

20 בָּרוּךְ אֱלֹהִים אֲשֶׁר לֹא־הֵסִיר תְּפִלָּתִי וְחַסְדּוֹ מֵאִתִּי׃

맛싸성경

16 하나님을 경외하는 모든 자들아, 와서 들어라. 그분이 내 영혼을 위하여 행하신 모든 것을 내가 선포할 것이라. **17** 내가 내 입으로 그분께 부르짖었으니 (그분은) 내 혀로 높임을 받으셨도다. **18** 만일 내가 나의 마음에 사악을 고려했다면 주는 듣지 않으셨을 것이라. **19** 그럼에도 하나님은 들으셨으며 그분은 내 기도의 소리에 경청하셨도다. **20** 하나님을 송축하리로다. (그분은) 나의 기도를 물리치지 않으시고 그분의 인애를 나로부터 (떠나지) 않게 하시도다.

NET

16 Come! Listen, all you who are loyal to God. I will declare what he has done for me. **17** I cried out to him for help and praised him with my tongue. **18** If I had harbored sin in my heart, the Lord would not have listened. **19** However, God heard; he listened to my prayer. **20** God deserves praise, for he did not reject my prayer or abandon his love for me.

67 WLC

1 לַמְנַצֵּחַ בִּנְגִינֹת מִזְמוֹר שִׁיר׃

2 אֱלֹהִים יְחָנֵּנוּ וִיבָרְכֵנוּ יָאֵר פָּנָיו אִתָּנוּ סֶלָה׃

3 לָדַעַת בָּאָרֶץ דַּרְכֶּךָ בְּכָל־גּוֹיִם יְשׁוּעָתֶךָ׃

4 יוֹדוּךָ עַמִּים ׀ אֱלֹהִים יוֹדוּךָ עַמִּים כֻּלָּם׃

5 יִשְׂמְחוּ וִירַנְּנוּ לְאֻמִּים כִּי־תִשְׁפֹּט עַמִּים מִישׁוֹר וּלְאֻמִּים ׀ בָּאָרֶץ תַּנְחֵם סֶלָה׃

6 יוֹדוּךָ עַמִּים ׀ אֱלֹהִים יוֹדוּךָ עַמִּים כֻּלָּם׃

7 אֶרֶץ נָתְנָה יְבוּלָהּ יְבָרְכֵנוּ אֱלֹהִים אֱלֹהֵינוּ׃

8 יְבָרְכֵנוּ אֱלֹהִים וְיִירְאוּ אֹתוֹ כָּל־אַפְסֵי־אָרֶץ׃

맛싸성경

(히, 67:1) [지휘자를 위하여 느기놋에 맞춘 시. 노래] **1(2)** 하나님께서 우리에게 은혜를 베푸시고 우리에게 복을 주소서. 그분(의) 얼굴을 우리들 위에 비추소서. 셀라. **2(3)** 주의 길이 땅 위에 알려지고 주의 구원이 모든 나라들에 (알려지게 하소서). **3(4)** 하나님이시여! 백성들로 주를 찬양하게 하시고 백성 모두가 주를 찬양하게 하소서. **4(5)** 나라들로 기뻐하고 즐거워하게 하소서. 이는 주께서 백성들을 공정함으로 심판하시고 주께서 땅에 나라들을 인도하심이라. 셀라. **5(6)** 하나님이시여! 백성들로 주를 찬양하게 하시고 백성 모두가 주를 찬양하게 하소서. **6(7)** 땅은 그의 소산을 내며 하나님 곧 우리들의 하나님이 우리에게 복 주실 것이라. **7(8)** 하나님께서는 우리에게 복 주실 것이며 땅 끝의 모든 자들이 그분을 두려워할 것이라.

NET

1(H 67:1) For the music director, to be accompanied by stringed instruments; a psalm, a song. **(2)** May God show us his favor and bless us. May he smile on us. (Selah) **2(3)** Then those living on earth will know what you are like; all nations will know how you deliver your people. **3(4)** Let the nations thank you, O God. Let all the nations thank you. **4(5)** Let foreigners rejoice and celebrate. For you execute justice among the nations and govern the people living on earth. (Selah) **5(6)** Let the nations thank you, O God. Let all the nations thank you. **6(7)** The earth yields its crops. May God, our God, bless us. **7(8)** May God bless us. Then all the ends of the earth will give him the honor he deserves.

68 WLC

1 לַמְנַצֵּחַ לְדָוִד מִזְמוֹר שִׁיר׃

2 יָקוּם אֱלֹהִים יָפוּצוּ אוֹיְבָיו וְיָנוּסוּ מְשַׂנְאָיו מִפָּנָיו׃

3 כְּהִנְדֹּף עָשָׁן תִּנְדֹּף כְּהִמֵּס דּוֹנַג מִפְּנֵי־אֵשׁ יֹאבְדוּ רְשָׁעִים מִפְּנֵי אֱלֹהִים׃

4 וְצַדִּיקִים יִשְׂמְחוּ יַעַלְצוּ לִפְנֵי אֱלֹהִים וְיָשִׂישׂוּ בְשִׂמְחָה׃

5 שִׁירוּ ׀ לֵאלֹהִים זַמְּרוּ שְׁמוֹ סֹלּוּ לָרֹכֵב בָּעֲרָבוֹת בְּיָהּ שְׁמוֹ וְעִלְזוּ לְפָנָיו׃

6 אֲבִי יְתוֹמִים וְדַיַּן אַלְמָנוֹת אֱלֹהִים בִּמְעוֹן קָדְשׁוֹ׃

7 אֱלֹהִים ׀ מוֹשִׁיב יְחִידִים ׀ בַּיְתָה מוֹצִיא אֲסִירִים בַּכּוֹשָׁרוֹת אַךְ סוֹרֲרִים שָׁכְנוּ צְחִיחָה׃

8 אֱלֹהִים בְּצֵאתְךָ לִפְנֵי עַמֶּךָ בְּצַעְדְּךָ בִישִׁימוֹן סֶלָה׃

맛싸성경

(히, 68:1) [지휘자를 위한 다윗의 시. 노래] **1(2)** 하나님께서 일어나셔서 그분의 원수들을 흩어지게 하시고 그분을 미워하는 자들이 그분 앞에서 도망하게 하소서. **2(3)** 연기가 날아가듯이 주께서 흩으시고 밀랍이 불 앞에서 녹아지듯 사악한 자들은 하나님 앞에서 망하게 하소서. **3(4)** 그러나 의인들은 하나님 앞에서 즐거워하고 기뻐 소리치게 하시며 즐거움으로 기뻐하게 하소서. **4(5)** 하나님께 노래하며 그분의 이름을 찬송하라. 구름(하늘)들을 타고 계신 분께 찬양하라. 그 이름이 여호와이시니 그분 앞에서 승리의 개가를 불러라. **5(6)** 고아들의 아버지이시며 과부들의 변론자이신 하나님은 그의 거룩한 성소에 거하고 계시도다. **6(7)** 하나님은 고독한 자들로 가족과 거하게 하시고 갇힌 자들을 행복으로 나오게 하시나 참으로 완고한 자들은 타버린 땅에 거할 것이라. **7(8)** 하나님이시여! 주의 백성 앞으로 나오실 때 주의 사막을 행진하실 때 셀라.

NET

1(H 68:1) For the music director, by David, a psalm, a song. **(2)** God springs into action. His enemies scatter; his adversaries run from him. **2(3)** As smoke is driven away by the wind, so you drive them away. As wax melts before fire, so the wicked are destroyed before God. **3(4)** But the godly are happy; they rejoice before God and are overcome with joy. **4(5)** Sing to God! Sing praises to his name. Exalt the one who rides on the clouds. For the Lord is his name. Rejoice before him. **5(6)** He is a father to the fatherless and an advocate for widows. God rules from his holy dwelling place. **6(7)** God settles in their own homes those who have been deserted; he frees prisoners and grants them prosperity. But sinful rebels live in the desert. **7(8)** O God, when you lead your people into battle, when you march through the wastelands, (Selah)

68 WLC

9 אֶרֶץ רָעָשָׁה ׀ אַף־שָׁמַיִם נָטְפוּ מִפְּנֵי אֱלֹהִים זֶה סִינַי מִפְּנֵי
אֱלֹהִים אֱלֹהֵי יִשְׂרָאֵל׃

10 גֶּשֶׁם נְדָבוֹת תָּנִיף אֱלֹהִים נַחֲלָתְךָ וְנִלְאָה אַתָּה כוֹנַנְתָּהּ׃

11 חַיָּתְךָ יָשְׁבוּ־בָהּ תָּכִין בְּטוֹבָתְךָ לֶעָנִי אֱלֹהִים׃

12 אֲדֹנָי יִתֶּן־אֹמֶר הַמְבַשְּׂרוֹת צָבָא רָב׃

13 מַלְכֵי צְבָאוֹת יִדֹּדוּן יִדֹּדוּן וּנְוַת בַּיִת תְּחַלֵּק שָׁלָל׃

14 אִם־תִּשְׁכְּבוּן בֵּין שְׁפַתָּיִם כַּנְפֵי יוֹנָה נֶחְפָּה בַכֶּסֶף וְאֶבְרוֹתֶיהָ
בִּירַקְרַק חָרוּץ׃

15 בְּפָרֵשׂ שַׁדַּי מְלָכִים בָּהּ תַּשְׁלֵג בְּצַלְמוֹן׃

맛싸성경

8(히, 68:9) 땅이 흔들렸고 참으로 하늘(들)도 하나님 앞에서 (비를) 떨어지게 하였고 씨나이(시내)도 하나님 곧 이스라엘의 하나님 앞에서 흔들렸도다. **9(10)** 하나님이시여! 주께서 비를 충분히 내리셔서 주의 상속과 그것(땅)이 지쳐 있을 때 주께서 그것을 (다시) 든든하게 하셨나이다. **10(11)** 주의 회중을 그 안에 살게 하셨나이다. 하나님이시여! 가난한 자들을 위하여 주의 좋은 것들을 준비하셨나이다. **11(12)** 주께서 말씀을 주셔서 좋은 소식을 전하는 자들이 많은 군대와 같나이다. **12(13)** "군대들의 왕들이 도망하고 도망합니다." 집의 여인들이 탈취물을 나누는구나. **13(14)** 비록 너희가 양 무리에 거할 때도 너희들은 은을 입힌 비둘기의 날개(들) 같고 녹색 금으로 (입힌) 깃털 같도다. **14(15)** 전능자가 그 안에서 왕들을 흩으셨을 때 살몬에 눈을 내리게 하셨도다.

NET

8(H 68:9) the earth shakes. Yes, the heavens pour down rain before God, the God of Sinai, before God, the God of Israel. **9(10)** O God, you cause abundant showers to fall on your chosen people. When they are tired, you sustain them, **10(11)** for you live among them. You sustain the oppressed with your good blessings, O God. **11(12)** The Lord speaks; many, many women spread the good news. **12(13)** Kings leading armies run away—they run away! The lovely lady of the house divides up the loot. **13(14)** When you lie down among the sheepfolds, the wings of the dove are covered with silver and with glittering gold. **14(15)** When the Sovereign One scatters kings, let it snow on Zalmon.

16 הַר־אֱלֹהִים הַר־בָּשָׁן הַר גַּבְנֻנִּים הַר־בָּשָׁן׃

17 לָמָּה ׀ תְּרַצְּדוּן הָרִים גַּבְנֻנִּים הָהָר חָמַד אֱלֹהִים לְשִׁבְתּוֹ
אַף־יְהוָה יִשְׁכֹּן לָנֶצַח׃

18 רֶכֶב אֱלֹהִים רִבֹּתַיִם אַלְפֵי שִׁנְאָן אֲדֹנָי בָם סִינַי בַּקֹּדֶשׁ׃

19 עָלִיתָ לַמָּרוֹם ׀ שָׁבִיתָ שֶּׁבִי לָקַחְתָּ מַתָּנוֹת בָּאָדָם וְאַף סוֹרְרִים
לִשְׁכֹּן ׀ יָהּ אֱלֹהִים׃

20 בָּרוּךְ אֲדֹנָי יוֹם ׀ יוֹם יַעֲמָס־לָנוּ הָאֵל יְשׁוּעָתֵנוּ סֶלָה׃

21 הָאֵל ׀ לָנוּ אֵל לְמוֹשָׁעוֹת וְלֵיהוִה אֲדֹנָי לַמָּוֶת תּוֹצָאוֹת׃

22 אַךְ־אֱלֹהִים יִמְחַץ רֹאשׁ אֹיְבָיו קָדְקֹד שֵׂעָר מִתְהַלֵּךְ בַּאֲשָׁמָיו׃

맛싸성경

15(히, 68:16) 하나님의 산은 바산의 산이고 봉우리들의 산은 바산의 산이다. **16(17)** 봉우리가 많은 산(들)아, 어찌하여 하나님이 그의 거처지로 원하시는 산을 (시기하여) 쳐다보느냐? 참으로 (그곳은) 여호와께서 영원히 거하실 곳이다. **17(18)** 하나님의 수레는 만만이고 수천이니 주께서 그것들 가운데 씨나이(산) 거룩한 곳으로 거하신다. **18(19)** 주께서 높은 곳으로 올라가셔서 포로를 잡으시고 사람에게 예물을 취하셨도다. 참으로 완고한 자들에게도 그렇게 하셨으니 여호와 하나님은 (그들과 함께) (거기에) 거하시려는 것이다. **19(20)** 주를 송축하라. 매일매일 주는 우리를 위하여 짐을 지시는 우리의 구원자이신 그 하나님이시다. 쎌라. **20(21)** 그 하나님은 우리를 위한 구원의 하나님이시니 죽음에서 피하는 길도 주 여호와께 나온다. **21(22)** 참으로 하나님께서는 그 원수들의 머리를 부술 것이며 그 범죄에서 걷는 자의 머리카락의 정수리도 (부술 것이다).

NET

15(H 68:16) The mountain of Bashan is a towering mountain; the mountain of Bashan is a mountain with many peaks. **16(17)** Why do you look with envy, O mountains with many peaks, at the mountain where God has decided to live? Indeed the Lord will live there permanently. **17(18)** God has countless chariots; they number in the thousands. The Lord comes from Sinai in holy splendor. **18(19)** You ascend on high; you have taken many captives. You receive tribute from men, including even sinful rebels. Indeed, the Lord God lives there. **19(20)** The Lord deserves praise. Day after day he carries our burden, the God who delivers us. (Selah) **20(21)** Our God is a God who delivers; the Lord, the Sovereign Lord, can rescue from death. **21(22)** Indeed, God strikes the heads of his enemies, the hairy foreheads of those who persist in rebellion.

68 WLC

23 אָמַר אֲדֹנָי מִבָּשָׁן אָשִׁיב אָשִׁיב מִמְּצֻלוֹת יָם׃

24 לְמַעַן ׀ תִּמְחַץ רַגְלְךָ בְּדָם לְשׁוֹן כְּלָבֶיךָ מֵאֹיְבִים מִנֵּהוּ׃

25 רָאוּ הֲלִיכוֹתֶיךָ אֱלֹהִים הֲלִיכוֹת אֵלִי מַלְכִּי בַקֹּדֶשׁ׃

26 קִדְּמוּ שָׁרִים אַחַר נֹגְנִים בְּתוֹךְ עֲלָמוֹת תּוֹפֵפוֹת׃

27 בְּמַקְהֵלוֹת בָּרְכוּ אֱלֹהִים יְהוָה מִמְּקוֹר יִשְׂרָאֵל׃

28 שָׁם בִּנְיָמִן ׀ צָעִיר רֹדֵם שָׂרֵי יְהוּדָה רִגְמָתָם שָׂרֵי זְבֻלוּן שָׂרֵי נַפְתָּלִי׃

맛싸성경

22(히, 68:23) 주께서 말씀하셨다. "내가 (그들을) 바산에서부터 데려오며 내가 (그들을) 바다의 깊은 곳에서부터 데려올 것이니 **23(24)** 너로 부수고 네 발은 피에 (담그며) 너의 개들의 혀들도 원수들로부터 자기의 몫을 있게 하려 함이라." **24(25)** 하나님이시여! 그들은 주의 행렬을 보았나이다. 나의 하나님의 행렬은 나의 왕이 성소로 (가는) 것이나이다. **25(26)** 노래하는 자들이 앞에 서고 현악 (악기) 연주자들이 따르며 가운데 작은북을 치는 처녀들이 있도다. **26(27)** "회중 안에서 하나님을 송축하라. 여호와는 이스라엘의 샘 (근원)이시도다." **27(28)** 거기는 막내인 베냐민이 통치자로 있고 유다 왕자들과 그들의 무리들과 스불론의 왕자들과 납달리의 왕자들이 있다.

NET

22(H 68:23) The Lord says, "I will retrieve them from Bashan. I will bring them back from the depths of the sea, **23(24)** so that your feet may stomp in their blood, and your dogs may eat their portion of the enemies' corpses." **24(25)** They see your processions, O God—the processions of my God, my king, who marches along in holy splendor. **25(26)** Singers walk in front; musicians follow playing their stringed instruments, in the midst of young women playing tambourines. **26(27)** In your large assemblies praise God, the Lord, in the assemblies of Israel. **27(28)** There is little Benjamin, their ruler, and the princes of Judah in their robes, along with the princes of Zebulun and the princes of Naphtali.

68 WLC

29 צִוָּה אֱלֹהֶיךָ עֻזֶּךָ עוּזָּה אֱלֹהִים זוּ פָּעַלְתָּ לָּנוּ׃

30 מֵהֵיכָלֶךָ עַל־יְרוּשָׁלָם לְךָ יוֹבִילוּ מְלָכִים שָׁי׃

31 גְּעַר חַיַּת קָנֶה עֲדַת אַבִּירִים ׀ בְּעֶגְלֵי עַמִּים מִתְרַפֵּס בְּרַצֵּי־כָסֶף
בִּזַּר עַמִּים קְרָבוֹת יֶחְפָּצוּ׃

32 יֶאֱתָיוּ חַשְׁמַנִּים מִנִּי מִצְרָיִם כּוּשׁ תָּרִיץ יָדָיו לֵאלֹהִים׃

33 מַמְלְכוֹת הָאָרֶץ שִׁירוּ לֵאלֹהִים זַמְּרוּ אֲדֹנָי סֶלָה׃

34 לָרֹכֵב בִּשְׁמֵי שְׁמֵי־קֶדֶם הֵן יִתֵּן בְּקוֹלוֹ קוֹל עֹז׃

35 תְּנוּ עֹז לֵאלֹהִים עַל־יִשְׂרָאֵל גַּאֲוָתוֹ וְעֻזּוֹ בַּשְּׁחָקִים׃

36 נוֹרָא אֱלֹהִים מִמִּקְדָּשֶׁיךָ אֵל יִשְׂרָאֵל הוּא נֹתֵן ׀ עֹז וְתַעֲצֻמוֹת
לָעָם בָּרוּךְ אֱלֹהִים׃

맛싸성경

28(히, 68:29) 네 하나님이 너의 힘을 명령하셨다. 하나님이시여! 주께서 우리들을 위해서 행하신 것처럼 강함을 보여주소서. **29(30)** 예루살렘에 있는 주의 성전으로 인해서 왕들이 선물을 주께 가져올 것이라. **30(31)** 갈대(들)의 짐승들과 수소들의 떼들을 백성들의 송아지들과 함께 책망하시고 은의 조각을 밟으시며 전쟁을 좋아하는 나라들을 흩으소서. **31(32)** 이집트에서 사신들(동 그릇들)이 나오고 이티오피아로 그의 손(으로) 하나님께 속히 뻗게(가져오게) 하소서. **32(33)** 땅의 왕국들아, 하나님께 노래하고 주께 찬송하라. 쎌라. **33(34)** 옛적의 하늘들의 하늘들 위를 타시는 분이시니 보아라, 그분은 그분의 음성으로 강한 음성을 발하신다. **34(35)** (너희는) 능력을 하나님께 돌릴지어다. 그분의 고상함은 이스라엘 위에 있으며 그분의 힘은 하늘 위에 있도다. **35(36)** 하나님은 주의 성소에서부터 경외할 분이시라. 이스라엘의 하나님 그분은 백성에게 힘과 능력의 충만을 주시는 분이시라. 여호와를 송축하라.

NET

28(H 68:29) God has decreed that you will be powerful. O God, you who have acted on our behalf, demonstrate your power. **29(30)** Because of your temple in Jerusalem, kings bring tribute to you. **30(31)** Sound your battle cry against the wild beast of the reeds, and the nations that assemble like a herd of calves led by bulls. They humble themselves and offer gold and silver as tribute. God scatters the nations that like to do battle. **31(32)** They come with red cloth from Egypt. Ethiopia voluntarily offers tribute to God. **32(33)** O kingdoms of the earth, sing to God. Sing praises to the Lord, (Selah) **33(34)** to the one who rides through the sky from ancient times. Look! He thunders loudly. **34(35)** Acknowledge God's power, his sovereignty over Israel, and the power he reveals in the skies. **35(36)** You are awe inspiring, O God, as you emerge from your holy temple. It is the God of Israel who gives the people power and strength. God deserves praise!

69 WLC

1 לַמְנַצֵּחַ עַל־שׁוֹשַׁנִּים לְדָוִד׃

2 הוֹשִׁיעֵנִי אֱלֹהִים כִּי בָאוּ מַיִם עַד־נָפֶשׁ׃

3 טָבַעְתִּי ׀ בִּיוֵן מְצוּלָה וְאֵין מָעֳמָד בָּאתִי בְמַעֲמַקֵּי־מַיִם
וְשִׁבֹּלֶת שְׁטָפָתְנִי׃

4 יָגַעְתִּי בְקָרְאִי נִחַר גְּרוֹנִי כָּלוּ עֵינַי מְיַחֵל לֵאלֹהָי׃

5 רַבּוּ ׀ מִשַּׂעֲרוֹת רֹאשִׁי שֹׂנְאַי חִנָּם עָצְמוּ מַצְמִיתַי אֹיְבַי שֶׁקֶר
אֲשֶׁר לֹא־גָזַלְתִּי אָז אָשִׁיב׃

6 אֱלֹהִים אַתָּה יָדַעְתָּ לְאִוַּלְתִּי וְאַשְׁמוֹתַי מִמְּךָ לֹא־נִכְחָדוּ׃

맛싸성경

(히, 69:1) [지휘자를 위하여 쇼산님에 맞춘 다윗의 시] **1(2)** 하나님이시여! 나를 구원하소서. 이는 물들이 내 목숨(영혼)까지 이르렀기 때문이니이다. **2(3)** 나는 (거기에는) 설 곳도 없는 깊은 수렁에 빠지고 나는 깊은 물속에 들어갔으니 홍수가 나를 휩쓰나이다. **3(4)** 내 부르짖음으로 나는 피곤하고 내 목은 쉬었으며 내 하나님을 기다림으로 내 눈은 흐려졌나이다. **4(5)** 이유 없이 나를 미워하는 자들이 내 머리의 머리카락보다 많고 나를 멸하려는 거짓으로 내 원수 된 자는 힘이 더 강하였나이다. 그래서 내가 빼앗지 않은 것은 회복하지 않겠나이까? **5(6)** 하나님이시여! 주께서 내 어리석음을 아시니 내 죄가 주께로부터 숨겨지지 않았나이다.

NET

1(H 69:1) For the music director, according to the tune of "Lilies"; by David. **(2)** Deliver me, O God, for the water has reached my neck. **2(3)** I sink into the deep mire where there is no solid ground; I am in deep water, and the current overpowers me. **3(4)** I am exhausted from shouting for help. My throat is sore; my eyes grow tired from looking for my God. **4(5)** Those who hate me without cause are more numerous than the hairs of my head. Those who want to destroy me, my enemies for no reason, outnumber me. They make me repay what I did not steal. **5(6)** O God, you are aware of my foolish sins; my guilt is not hidden from you.

7 אַל־יֵבֹשׁוּ בִי ׀ קֹוֶיךָ אֲדֹנָי יְהוִה צְבָאֹות אַל־יִכָּלְמוּ בִי מְבַקְשֶׁיךָ אֱלֹהֵי יִשְׂרָאֵל׃

8 כִּי־עָלֶיךָ נָשָׂאתִי חֶרְפָּה כִּסְּתָה כְלִמָּה פָנָי׃

9 מוּזָר הָיִיתִי לְאֶחָי וְנָכְרִי לִבְנֵי אִמִּי׃

10 כִּי־קִנְאַת בֵּיתְךָ אֲכָלָתְנִי וְחֶרְפֹּות חֹורְפֶיךָ נָפְלוּ עָלָי׃

11 וָאֶבְכֶּה בַצֹּום נַפְשִׁי וַתְּהִי לַחֲרָפֹות לִי׃

12 וָאֶתְּנָה לְבוּשִׁי שָׂק וָאֱהִי לָהֶם לְמָשָׁל׃

13 יָשִׂיחוּ בִי יֹשְׁבֵי שָׁעַר וּנְגִינֹות שֹׁותֵי שֵׁכָר׃

맛싸성경

6(히, 69:7) 만군의 여호와 주시여! 주를 소망하는 자들이 나로 인하여 수치를 당하지 않게 하소서. 이스라엘의 하나님이시여! 주를 찾는 자들이 나로 인해서 수욕을 당하지 않게 하소서. **7(8)** 이는 주를 위하여 내가 치욕을 담당하였으니 모욕이 내 얼굴을 덮었나이다. **8(9)** 나는 나의 형제들에게 거류민이 되었고 나는 나의 어머니의 아들들에게 이방인이 되었나이다. **9(10)** 이는 주의 집의 위한 열심이 나를 삼켰으며 주를 욕하는 자들의 욕이 내 위에 떨어졌나이다. **10(11)** 내 영혼이 금식(함)으로 나는 울었고 그것이 내게 욕이 되었나이다. **11(12)** 내가 나의 베옷을 입었으나 나는 그들에게 이야깃거리가 되었나이다. **12(13)** 문에 앉은 자들이 나를 조롱하니 나는 독주를 마시는 자들의 조롱하는 노래가 되었나이다.

NET

6(H 69:7) Let none who rely on you be disgraced because of me, O Sovereign Lord of Heaven's Armies. Let none who seek you be ashamed because of me, O God of Israel. **7(8)** For I suffer humiliation for your sake and am thoroughly disgraced. **8(9)** My own brothers treat me like a stranger; they act as if I were a foreigner. **9(10)** Certainly zeal for your house consumes me; I endure the insults of those who insult you. **10(11)** I weep and refrain from eating food, which causes others to insult me. **11(12)** I wear sackcloth and they ridicule me. **12(13)** Those who sit at the city gate gossip about me; drunkards mock me in their songs.

69 WLC

14 וַאֲנִי תְפִלָּתִי־לְךָ ׀ יְהוָה עֵת רָצוֹן אֱלֹהִים בְּרָב־חַסְדֶּךָ עֲנֵנִי בֶּאֱמֶת יִשְׁעֶךָ׃

15 הַצִּילֵנִי מִטִּיט וְאַל־אֶטְבָּעָה אִנָּצְלָה מִשֹּׂנְאַי וּמִמַּעֲמַקֵּי־מָיִם׃

16 אַל־תִּשְׁטְפֵנִי ׀ שִׁבֹּלֶת מַיִם וְאַל־תִּבְלָעֵנִי מְצוּלָה

וְאַל־תֶּאְטַר־עָלַי בְּאֵר פִּיהָ׃

17 עֲנֵנִי יְהוָה כִּי־טוֹב חַסְדֶּךָ כְּרֹב רַחֲמֶיךָ פְּנֵה אֵלָי׃

18 וְאַל־תַּסְתֵּר פָּנֶיךָ מֵעַבְדֶּךָ כִּי־צַר־לִי מַהֵר עֲנֵנִי׃

19 קָרְבָה אֶל־נַפְשִׁי גְאָלָהּ לְמַעַן אֹיְבַי פְּדֵנִי׃

20 אַתָּה יָדַעְתָּ חֶרְפָּתִי וּבָשְׁתִּי וּכְלִמָּתִי נֶגְדְּךָ כָּל־צוֹרְרָי׃

21 חֶרְפָּה ׀ שָׁבְרָה לִבִּי וָאָנוּשָׁה וָאֲקַוֶּה לָנוּד וָאַיִן וְלַמְנַחֲמִים וְלֹא מָצָאתִי׃

맛싸성경

13(히, 69:14) 그러나 여호와시여! 내게는 내 기도가 주께 있으니 하나님이시여! 기뻐하시는 때에 주의 큰 인애 가운데 주의 구원의 진리로 내게 응답하소서. **14(15)** 수렁에서 나를 구출하시고 나로 빠지지 않게 하셔서 나를 미워하는 자와 깊은 물에서부터 나로 구출 받게 하소서. **15(16)** 물의 홍수가 나를 쓸어가지 못하게 하시고 깊음이 나를 삼키지 못하게 하시며 웅덩이가 그 입구를 내 위에서 닫지 못하게 하소서. **16(17)** 여호와시여! 내게 응답하소서. 이는 주의 인애가 선하시니 주의 긍휼의 크심으로 내게 향하여 주소서. **17(18)** 주의 얼굴을 주의 종으로부터 숨기지 마소서. 이는 내게 어려움이 있으니 속히 응답하소서. **18(19)** 내 영혼에 다가와 주시고 (그것을) 구속하소서. 내 원수들로 인하여 나를 구속하소서. **19(20)** 주는 내 치욕과 내 수치와 내 모욕을 아시니 내 모든 대적자들이 주 앞에 있나이다. **20(21)** 욕이 내 마음을 부수니 나는 아파하며 나는 동정을 소망하나 (그것은) 없었고 위로할 자들을 바라나 나는 찾지 못하였나이다.

NET

13(H 69:14) O Lord, may you hear my prayer and be favorably disposed to me. O God, because of your great loyal love, answer me with your faithful deliverance. **14(15)** Rescue me from the mud. Don't let me sink. Deliver me from those who hate me, from the deep water. **15(16)** Don't let the current overpower me. Don't let the deep swallow me up. Don't let the Pit devour me. **16(17)** Answer me, O Lord, for your loyal love is good. Because of your great compassion, turn toward me. **17(18)** Do not ignore your servant, for I am in trouble. Answer me right away. **18(19)** Come near me and redeem me. Because of my enemies, rescue me. **19(20)** You know how I am insulted, humiliated, and disgraced; you can see all my enemies. **20(21)** Their insults are painful and make me lose heart; I look for sympathy, but receive none, for comforters, but find none.

69 WLC

22 וַיִּתְּנוּ בְּבָרוּתִי רֹאשׁ וְלִצְמָאִי יַשְׁקוּנִי חֹמֶץ׃

23 יְהִי־שֻׁלְחָנָם לִפְנֵיהֶם לְפָח וְלִשְׁלוֹמִים לְמוֹקֵשׁ׃

24 תֶּחְשַׁכְנָה עֵינֵיהֶם מֵרְאוֹת וּמָתְנֵיהֶם תָּמִיד הַמְעַד׃

25 שְׁפָךְ־עֲלֵיהֶם זַעְמֶךָ וַחֲרוֹן אַפְּךָ יַשִּׂיגֵם׃

26 תְּהִי־טִירָתָם נְשַׁמָּה בְּאָהֳלֵיהֶם אַל־יְהִי יֹשֵׁב׃

27 כִּי־אַתָּה אֲשֶׁר־הִכִּיתָ רָדָפוּ וְאֶל־מַכְאוֹב חֲלָלֶיךָ יְסַפֵּרוּ׃

28 תְּנָה־עָוֺן עַל־עֲוֺנָם וְאַל־יָבֹאוּ בְּצִדְקָתֶךָ׃

29 יִמָּחוּ מִסֵּפֶר חַיִּים וְעִם צַדִּיקִים אַל־יִכָּתֵבוּ׃

맛싸성경

21(히, 69:22) 그들은 음식 대신에 독초를 주었고 내 목마름에 나로 식초를 마시게 하였나이다. **22(23)** 그들의 식탁이 그들 앞에서 올무가 되게 하시고 그들의 화평은 덫이 되게 하소서. **23(24)** 그들의 눈(들)이 보는 것으로부터 어두워지게 하시고 그들의 허리가 항상 떨리게 하소서. **24(25)** 주의 분노를 그들 위로 쏟아부으시고 주의 노의 불타심으로 그들을 따라잡으소서. **25(26)** 그들의 장소로 황폐하게 하시고 그들의 천막(장막)들에는 거하는 자가 없게 하소서. **26(27)** 이는 그들이 주께서 치신 자를 박해하고 주께서 상하게 하신 자의 고통에 대하여 그들이 말하기 때문이니이다. **27(28)** 그들의 범죄에 범죄를 두시고 주의 의로움에 들어오지 못하게 하소서. **28(29)** 그들이 생명의 책으로부터 지워지게 하시고 그들이 의인들과 함께 기록되지 않게 하소서.

NET

21(H 69:22) They put bitter poison into my food, and to quench my thirst they give me vinegar to drink. **22(23)** May their dining table become a trap before them. May it be a snare for that group of friends. **23(24)** May their eyes be blinded. Make them shake violently. **24(25)** Pour out your judgment on them. May your raging anger overtake them. **25(26)** May their camp become desolate, their tents uninhabited. **26(27)** For they harass the one whom you discipline; they spread the news about the suffering of those whom you punish. **27(28)** Hold them accountable for all their sins. Do not vindicate them. **28(29)** May their names be deleted from the scroll of the living. Do not let their names be listed with the godly.

69 WLC

30 וַאֲנִי עָנִי וְכוֹאֵב יְשׁוּעָתְךָ אֱלֹהִים תְּשַׂגְּבֵנִי׃

31 אֲהַלְלָה שֵׁם־אֱלֹהִים בְּשִׁיר וַאֲגַדְּלֶנּוּ בְתוֹדָה׃

32 וְתִיטַב לַיהוָה מִשּׁוֹר פָּר מַקְרִן מַפְרִיס׃

33 רָאוּ עֲנָוִים יִשְׂמָחוּ דֹּרְשֵׁי אֱלֹהִים וִיחִי לְבַבְכֶם׃

34 כִּי־שֹׁמֵעַ אֶל־אֶבְיוֹנִים יְהוָה וְאֶת־אֲסִירָיו לֹא בָזָה׃

35 יְהַלְלוּהוּ שָׁמַיִם וָאָרֶץ יַמִּים וְכָל־רֹמֵשׂ בָּם׃

36 כִּי אֱלֹהִים ׀ יוֹשִׁיעַ צִיּוֹן וְיִבְנֶה עָרֵי יְהוּדָה וְיָשְׁבוּ שָׁם וִירֵשׁוּהָ׃

37 וְזֶרַע עֲבָדָיו יִנְחָלוּהָ וְאֹהֲבֵי שְׁמוֹ יִשְׁכְּנוּ־בָהּ׃

맛싸성경

29(히, 69:30) 그러나 나는 가난하고 고통이 있으니 하나님이시여! 주의 구원으로 나를 높여 보호하소서. **30(31)** 내가 하나님의 이름을 노래로 찬양하고 감사로 그분을 위대하게 할 것이라. **31(32)** 이것이 소보다 곧 뿔과 굽이 있는 황소보다 여호와를 더 기쁘게 할 것이라. **32(33)** 온유한 자들이 보고 그들은 기뻐할 것이라. 하나님을 찾는 자들아, 너희 마음이 소생하게 하여라. **33(34)** 이는 여호와께서는 가난한 자들을 들으시고 그분은 갇힌 자들을 멸시하시지 않으심이라. **34(35)** 하늘과 땅으로 그분을 찬양하게 하고 그리고 바다들과 그 안에서 움직이는 모든 것들도 그리하게 하라. **35(36)** 이는 하나님께서 시온을 구원하시고 유다의 도시들을 건설하실 것이니 그(사람)들이 거기에서 살며 그것을 소유할 것이기 때문이라. **36(37)** 그분의 종들의 자손들이 그것을 상속받고 그분의 이름을 사랑하는 자들이 그 안에서 살게 될 것이라.

NET

29(H 69:30) I am oppressed and suffering. O God, deliver and protect me. **30(31)** I will sing praises to God's name. I will magnify him as I give him thanks. **31(32)** That will please the Lord more than an ox or a bull with horns and hooves. **32(33)** The oppressed look on—let them rejoice. You who seek God, may you be encouraged. **33(34)** For the Lord listens to the needy; he does not despise his captive people. **34(35)** Let the heavens and the earth praise him, along with the seas and everything that swims in them. **35(36)** For God will deliver Zion and rebuild the cities of Judah, and his people will again live in them and possess Zion. **36(37)** The descendants of his servants will inherit it, and those who are loyal to him will live in it.

70 WLC

1 לַמְנַצֵּחַ לְדָוִד לְהַזְכִּיר׃

2 אֱלֹהִים לְהַצִּילֵנִי יְהוָה לְעֶזְרָתִי חוּשָׁה׃

3 יֵבֹשׁוּ וְיַחְפְּרוּ מְבַקְשֵׁי נַפְשִׁי יִסֹּגוּ אָחוֹר וְיִכָּלְמוּ חֲפֵצֵי רָעָתִי׃

4 יָשׁוּבוּ עַל־עֵקֶב בָּשְׁתָּם הָאֹמְרִים הֶאָח ׀ הֶאָח׃

5 יָשִׂישׂוּ וְיִשְׂמְחוּ ׀ בְּךָ כָּל־מְבַקְשֶׁיךָ וְיֹאמְרוּ תָמִיד יִגְדַּל אֱלֹהִים אֹהֲבֵי יְשׁוּעָתֶךָ׃

6 וַאֲנִי ׀ עָנִי וְאֶבְיוֹן אֱלֹהִים חוּשָׁה־לִּי עֶזְרִי וּמְפַלְטִי אַתָּה יְהוָה אַל־תְּאַחַר׃

맛싸성경

(히, 70:1) [지휘자를 위한 다윗의 시. 기념식을 위한 (시)] **1(2)** 하나님이시여! 나를 구출하도록 (서두르시며) 여호와시여! 나를 돕기 위해 서둘러 주소서. **2(3)** 내 영혼(생명)을 찾는 자들이 수치와 창피를 당하게 하소서. 내 재앙을 기뻐하는 자들로 뒤로 물러가게 하시며 그들로 욕을 당하게 하소서. **3(4)** "아하. 아하" 말하는 자들이 그들의 수치의 대가로 돌아가게(물러가게) 하소서. **4(5)** 주를 찾는 모든 자들로 주 안에서 기뻐하고 즐거워하게 하소서. 주의 구원을 사랑하는 자들로 항상 "하나님은 위대하시도다." 말하게 하소서. **5(6)** 하나님이시여! 그러나 나는 가난하고 핍절하오니 내게로 서둘러 주소서. 여호와시여! 주는 내 도움이시며 내 구세주이시니 지체하지 마소서.

NET

1(H 70:1) For the music director, by David; written to get God's attention. **(2)** O God, please be willing to rescue me. O Lord, hurry and help me. **2(3)** May those who are trying to take my life be embarrassed and ashamed. May those who want to harm me be turned back and ashamed. **3(4)** May those who say, "Aha! Aha!" be driven back and disgraced. **4(5)** May all those who seek you be happy and rejoice in you. May those who love to experience your deliverance say continually, "May God be praised!" **5(6)** I am oppressed and needy. O God, hurry to me. You are my helper and my deliverer. O Lord, do not delay.

71 WLC

1 בְּךָ־יְהוָה חָסִיתִי אַל־אֵבוֹשָׁה לְעוֹלָם׃

2 בְּצִדְקָתְךָ תַּצִּילֵנִי וּתְפַלְּטֵנִי הַטֵּה־אֵלַי אָזְנְךָ וְהוֹשִׁיעֵנִי׃

3 הֱיֵה לִי ׀ לְצוּר מָעוֹן לָבוֹא תָּמִיד צִוִּיתָ לְהוֹשִׁיעֵנִי כִּי־סַלְעִי וּמְצוּדָתִי אָתָּה׃

4 אֱלֹהַי פַּלְּטֵנִי מִיַּד רָשָׁע מִכַּף מְעַוֵּל וְחוֹמֵץ׃

5 כִּי־אַתָּה תִקְוָתִי אֲדֹנָי יְהוִה מִבְטַחִי מִנְּעוּרָי׃

6 עָלֶיךָ ׀ נִסְמַכְתִּי מִבֶּטֶן מִמְּעֵי אִמִּי אַתָּה גוֹזִי בְּךָ תְהִלָּתִי תָמִיד׃

맛싸성경

1 여호와시여! 내가 주께 피하나이다. 나로 영영히 수치를 당치 않게 하소서. 2 주의 의로 나를 구출하시고 나를 구하여 주소서. 주의 귀를 내게 향하여 주시고 나를 구원하여 주소서. 3 내가 항상 갈 수 있는 피난처의 바위가 되어 주시고 나를 구원하시려고 주께서 명령하셨나이다. 이는 주는 내 바위이시며 내 요새이심이라. 4 내 하나님이여! 사악한 자의 손에서부터 나를 구하시고 불의하고 압제하는 자의 손(바닥)에서 (구하소서). 5 여호와시여! 이는 주는 내 소망이시고 내 어린 시절부터 내 신뢰(할 자)이시기 때문이니이다. 6 내가 (모)태에서부터 주를 의지하였으니 주는 내 어머니의 배에서(부터) 나를 나오게 하신 분이십니다. 내 찬양이 항상 주께 있나이다.

NET

1 In you, O Lord, I have taken shelter. Never let me be humiliated. 2 Vindicate me by rescuing me. Listen to me. Deliver me. 3 Be my protector and refuge, a stronghold where I can be safe. For you are my high ridge and my stronghold. 4 My God, rescue me from the power of the wicked, from the hand of the cruel oppressor. 5 For you are my hope; O Sovereign Lord, I have trusted in you since I was young. 6 I have leaned on you since birth; you pulled me from my mother's womb. I praise you continually.

71 WLC

7 כְּמוֹפֵת הָיִיתִי לְרַבִּים וְאַתָּה מַחֲסִי־עֹז׃

8 יִמָּלֵא פִי תְּהִלָּתֶךָ כָּל־הַיּוֹם תִּפְאַרְתֶּךָ׃

9 אַל־תַּשְׁלִיכֵנִי לְעֵת זִקְנָה כִּכְלוֹת כֹּחִי אַל־תַּעַזְבֵנִי׃

10 כִּי־אָמְרוּ אוֹיְבַי לִי וְשֹׁמְרֵי נַפְשִׁי נוֹעֲצוּ יַחְדָּו׃

11 לֵאמֹר אֱלֹהִים עֲזָבוֹ רִדְפוּ וְתִפְשׂוּהוּ כִּי־אֵין מַצִּיל׃

12 אֱלֹהִים אַל־תִּרְחַק מִמֶּנִּי אֱלֹהַי לְעֶזְרָתִי [חִישָׁה כ] (חוּשָׁה ק)׃

13 יֵבֹשׁוּ יִכְלוּ שֹׂטְנֵי נַפְשִׁי יַעֲטוּ חֶרְפָּה וּכְלִמָּה מְבַקְשֵׁי רָעָתִי׃

맛싸성경

7 나는 많은 사람들에게 놀라움이 되었으나 주는 내 힘의 피난처이십니다. 8 내 입이 주의 찬양으로 가득 차게 하시며 온종일 주의 영광으로 (가득 차게 하소서). 9 노년에 나를 내버리지 마시고 내 힘이 다 하였을 때 나를 버리지 마소서. 10 이는 내 원수들이 나를 대항하여 말하고 내 영혼을 쳐다보는 자들이 다 같이 음모하나니 11 (그들이) 말하기를 "하나님께서 그를 버리셨으니 그를 추격하여 그를 잡아라. 이는 그를 구출할 자가 없음이라." 하나이다. 12 하나님이시여! 내게서 멀리 계시지 마소서. 내 하나님이시여! 나를 돕기 위해 서둘러 주소서. 13 내 생명을 대적하는 자들로 수치를 당하고 망하게 하소서. 나를 해하려고 찾는 자들이 치욕과 모욕으로 뒤덮이게 하소서.

NET

7 Many are appalled when they see me, but you are my secure shelter. 8 I praise you constantly and speak of your splendor all day long. 9 Do not reject me in my old age. When my strength fails, do not abandon me. 10 For my enemies talk about me; those waiting for a chance to kill me plot my demise. 11 They say, "God has abandoned him. Run and seize him, for there is no one who will rescue him." 12 O God, do not remain far away from me. My God, hurry and help me. 13 May my accusers be humiliated and defeated. May those who want to harm me be covered with scorn and disgrace.

71 WLC

14 וַאֲנִי תָּמִיד אֲיַחֵל וְהוֹסַפְתִּי עַל־כָּל־תְּהִלָּתֶךָ׃

15 פִּי ׀ יְסַפֵּר צִדְקָתֶךָ כָּל־הַיּוֹם תְּשׁוּעָתֶךָ כִּי לֹא יָדַעְתִּי סְפֹרוֹת׃

16 אָבוֹא בִּגְבֻרוֹת אֲדֹנָי יְהוִה אַזְכִּיר צִדְקָתְךָ לְבַדֶּךָ׃

17 אֱלֹהִים לִמַּדְתַּנִי מִנְּעוּרָי וְעַד־הֵנָּה אַגִּיד נִפְלְאוֹתֶיךָ׃

18 וְגַם עַד־זִקְנָה ׀ וְשֵׂיבָה אֱלֹהִים אַל־תַּעַזְבֵנִי עַד־אַגִּיד זְרוֹעֲךָ לְדוֹר לְכָל־יָבוֹא גְּבוּרָתֶךָ׃

19 וְצִדְקָתְךָ אֱלֹהִים עַד־מָרוֹם אֲשֶׁר־עָשִׂיתָ גְדֹלוֹת אֱלֹהִים מִי כָמוֹךָ׃

맛싸성경

14 그러나 나는 항상 기다리며(소망하며) 주의 모든 찬양을 더하겠나이다. 15 내 입이 주의 의를 선포하며 온종일 주의 구원을 선포하리니 이는 내가 기록할 것을 알지 못하기 때문이니이다(헤아릴 수 없음이니이다). 16 내가 주 여호와의 능력으로 나아가며 주의 의와 주만 홀로 (내가) 기억할 것이니이다. 17 하나님이시여! 주께서 내가 어릴 때부터 나를 가르쳐 주셨으며 지금까지 내가 주의 놀라우신 일을 선포하나이다. 18 하나님이시여! 또한 (내가) 늙어서 백발이 되기까지 나를 버리지 마시며 주의 자손과 세대와 오는 세대에게 주의 능력을 선포하기까지 (버리지 마소서). 19 하나님이시여! 주의 의가 높은 곳에 있으며 주께서는 큰일을 행하셨나이다. 하나님이시여! 누가 주와 같겠나이까?

NET

14 As for me, I will wait continually, and will continue to praise you. 15 I will tell about your justice, and all day long proclaim your salvation, though I cannot fathom its full extent. 16 I will come and tell about the mighty acts of the Sovereign Lord. I will proclaim your justice—yours alone. 17 O God, you have taught me since I was young, and I am still declaring your amazing deeds. 18 Even when I am old and gray, O God, do not abandon me, until I tell the next generation about your strength and those coming after me about your power. 19 Your justice, O God, extends to the skies above; you have done great things. O God, who can compare to you?

71 WLC

20 אֲשֶׁר [הִרְאִיתַנוּ כ] (הִרְאִיתַנִי ק) ׀ צָרוֹת רַבּוֹת וְרָעוֹת תָּשׁוּב

[תְּחַיֵּינוּ כ] (תְּחַיֵּנִי ק) וּמִתְּהֹמוֹת הָאָרֶץ תָּשׁוּב תַּעֲלֵנִי׃

21 תֶּרֶב ׀ גְּדֻלָּתִי וְתִסֹּב תְּנַחֲמֵנִי׃

22 גַּם־אֲנִי ׀ אוֹדְךָ בִכְלִי־נֶבֶל אֲמִתְּךָ אֱלֹהָי אֲזַמְּרָה לְךָ

בְכִנּוֹר קְדוֹשׁ יִשְׂרָאֵל׃

23 תְּרַנֵּנָּה שְׂפָתַי כִּי אֲזַמְּרָה־לָּךְ וְנַפְשִׁי אֲשֶׁר פָּדִיתָ׃

24 גַּם־לְשׁוֹנִי כָּל־הַיּוֹם תֶּהְגֶּה צִדְקָתֶךָ כִּי־בֹשׁוּ

כִּי־חָפְרוּ מְבַקְשֵׁי רָעָתִי׃

맛싸성경

20 주께서 나에게 많은 어려움과 재앙을 보게 하셨고 회복하여 나를 살리셨으며 땅의 깊음에서 회복하여 올라오게 하실 것이니이다. **21** 주께서 내 크기(위대함)를 확장시켜 주시고 둘러싸서 나를 위로하여 주소서. **22** 또한 내 하나님이시여! 내가 네벨(하프)의 악기로 주를 찬양하며 주의 진리를 (인하여) 찬양하리이다. 이스라엘의 거룩하신 분이시여! 내가 킨노르(수금)로 주께 노래하리이다. **23** 내가 주께 노래할 때 내 입술은 (기뻐) 소리치고 주께서 구속하신 내 영혼도 그리할 것이니이다. **24** 또한 내 혀가 온종일 주의 의를 말할 것이니 이는 내게 재앙을 구하는 자들이 수치와 창피를 당하였음이니이다.

NET

20 Though you have allowed me to experience much trouble and distress, revive me once again. Bring me up once again from the depths of the earth. **21** Raise me to a position of great honor. Turn and comfort me. **22** I will express my thanks to you with a stringed instrument, praising your faithfulness, O my God. I will sing praises to you accompanied by a harp, O Holy One of Israel. **23** My lips will shout for joy. Yes, I will sing your praises. I will praise you when you rescue me. **24** All day long my tongue will also tell about your justice, for those who want to harm me will be embarrassed and ashamed.

72 WLC

1 לִשְׁלֹמֹה ׀ אֱלֹהִים מִשְׁפָּטֶיךָ לְמֶלֶךְ תֵּן וְצִדְקָתְךָ לְבֶן־מֶלֶךְ׃

2 יָדִין עַמְּךָ בְצֶדֶק וַעֲנִיֶּיךָ בְמִשְׁפָּט׃

3 יִשְׂאוּ הָרִים שָׁלוֹם לָעָם וּגְבָעוֹת בִּצְדָקָה׃

4 יִשְׁפֹּט ׀ עֲנִיֵּי־עָם יוֹשִׁיעַ לִבְנֵי אֶבְיוֹן וִידַכֵּא עוֹשֵׁק׃

5 יִירָאוּךָ עִם־שָׁמֶשׁ וְלִפְנֵי יָרֵחַ דּוֹר דּוֹרִים׃

6 יֵרֵד כְּמָטָר עַל־גֵּז כִּרְבִיבִים זַרְזִיף אָרֶץ׃

7 יִפְרַח־בְּיָמָיו צַדִּיק וְרֹב שָׁלוֹם עַד־בְּלִי יָרֵחַ׃

8 וְיֵרְדְּ מִיָּם עַד־יָם וּמִנָּהָר עַד־אַפְסֵי־אָרֶץ׃

맛싸성경

1 [솔로몬을 위한 (시)] 하나님이시여! 주의 판단(력)을 왕에게 주시고 주의 의를 왕의 아들에게 주소서. 2 그가 주의 백성을 의로 재판하고 주의 가난한 자들을 공의로 (재판할 것이라). 3 산(들)은 백성에게 평화를 가져오고 언덕들은 의를 가져올 것이라. 4 그가 백성의 가난한 자들을 재판하고 궁핍한 자의 아들들을 구원하며 압박하는 자를 짓누를 것이라. 5 태양이 함께 있는 (동안) 그들은 주를 경외하고 달 앞에 있는 (한) 세대와 세대가 그리할 것이라. 6 그가 깎은 풀 위에 비같이 내릴 것이니 땅을 적시는 봄 소낙비 같을 것이라. 7 그의 날에는 의인이 돋아날 것이며 달이 더 이상 없을 때까지 평화가 풍성할 것이다. 8 그가 바다에서 바다까지 강에서 땅 끝까지 다스릴 것이다.

NET

1 For Solomon. O God, grant the king the ability to make just decisions. Grant the king's son the ability to make fair decisions. 2 Then he will judge your people fairly and your oppressed ones equitably. 3 The mountains will bring news of peace to the people, and the hills will announce justice. 4 He will defend the oppressed among the people; he will deliver the children of the poor and crush the oppressor. 5 People will fear you as long as the sun and moon remain in the sky, for generation after generation. 6 He will descend like rain on the mown grass, like showers that drench the earth. 7 During his days the godly will flourish; peace will prevail as long as the moon remains in the sky. 8 May he rule from sea to sea, and from the Euphrates River to the ends of the earth.

72 WLC

9 לְפָנָיו יִכְרְעוּ צִיִּים וְאֹיְבָיו עָפָר יְלַחֵכוּ׃

10 מַלְכֵי תַרְשִׁישׁ וְאִיִּים מִנְחָה יָשִׁיבוּ מַלְכֵי שְׁבָא
וּסְבָא אֶשְׁכָּר יַקְרִיבוּ׃

11 וְיִשְׁתַּחֲווּ־לוֹ כָל־מְלָכִים כָּל־גּוֹיִם יַעַבְדוּהוּ׃

12 כִּי־יַצִּיל אֶבְיוֹן מְשַׁוֵּעַ וְעָנִי וְאֵין־עֹזֵר לוֹ׃

13 יָחֹס עַל־דַּל וְאֶבְיוֹן וְנַפְשׁוֹת אֶבְיוֹנִים יוֹשִׁיעַ׃

14 מִתּוֹךְ וּמֵחָמָס יִגְאַל נַפְשָׁם וְיֵיקַר דָּמָם בְּעֵינָיו׃

15 וִיחִי וְיִתֶּן־לוֹ מִזְּהַב שְׁבָא וְיִתְפַּלֵּל בַּעֲדוֹ תָמִיד
כָּל־הַיּוֹם יְבָרֲכֶנְהוּ׃

맛싸성경

9 광야에 사는 자들이 그분 앞에서 굽힐 것이고 그의 원수들은 먼지를 핥을 것이다. 10 타르쉬스(다시스)와 섬들의 왕들은 선물들을 가져오고 셰바와 쎄바의 왕들은 공물을 바칠 것이다. 11 모든 왕들은 그에게 그리고 모든 나라들은 그를 섬길 것이다. 12 이는 그가 도움을 요청하는 궁핍한 자와 그를 도와주는 자가 없는 가난한 자를 구출할 것이기 때문이다. 13 그가 힘없고 궁핍한 자를 긍휼히 보고 궁핍한 자들의 생명들을 구원할 것이라. 14 그는 압제와 폭력에서 그들의 영혼들을 구속하고 그들의 피는 그의 눈(들) 앞에서 귀중히 여겨질 것이다. 15 그는 (오래) 살고 그에게 셰바의 금이 주어질 것이다. 그를 위하여 항상 기도하고 그(백성)들은 온종일 그를 위해 복을 구할 것이라.

NET

9 Before him the coastlands will bow down, and his enemies will lick the dust. 10 The kings of Tarshish and the coastlands will offer gifts; the kings of Sheba and Seba will bring tribute. 11 All kings will bow down to him; all nations will serve him. 12 For he will rescue the needy when they cry out for help, and the oppressed who have no defender. 13 He will take pity on the poor and needy; the lives of the needy he will save. 14 From harm and violence he will defend them; he will value their lives. 15 May he live! May they offer him gold from Sheba. May they continually pray for him. May they pronounce blessings on him all day long.

72 WLC

16 יְהִי פִסַּת־בַּר ׀ בָּאָרֶץ בְּרֹאשׁ הָרִים יִרְעַשׁ כַּלְּבָנוֹן פִּרְיוֹ

וְיָצִיצוּ מֵעִיר כְּעֵשֶׂב הָאָרֶץ׃

17 יְהִי שְׁמוֹ לְעוֹלָם לִפְנֵי־שֶׁמֶשׁ [יָנִין כ] (יִנּוֹן ק) שְׁמוֹ

וְיִתְבָּרְכוּ בוֹ כָּל־גּוֹיִם יְאַשְּׁרוּהוּ׃

18 בָּרוּךְ ׀ יְהוָה אֱלֹהִים אֱלֹהֵי יִשְׂרָאֵל עֹשֵׂה נִפְלָאוֹת לְבַדּוֹ׃

19 וּבָרוּךְ ׀ שֵׁם כְּבוֹדוֹ לְעוֹלָם וְיִמָּלֵא כְבוֹדוֹ אֶת־כֹּל הָאָרֶץ

אָמֵן ׀ וְאָמֵן׃

20 כָּלּוּ תְפִלּוֹת דָּוִד בֶּן־יִשָׁי׃

맛싸성경

16 곡식의 충만이 땅에 있고 산(들)의 꼭대기에도 있으며 그 과일이 레바논같이 열리고 사람들이 땅의 풀같이 도시에 만발할(번성할) 것이라. 17 그의 이름이 영원히 있어서 그의 이름이 태양 앞에서 (같이) 지속되며 사람들이 그를 통해서 복을 받을 것이라. 모든 나라들이 그를 '복되다.' 할 것이라. 18 여호와 하나님을 송축하라. 홀로 놀라운 일들을 행하시는 이스라엘의 하나님이시도다. 19 그의 영광의 이름을 영원히 송축하라. 그분의 영광이 모든 땅의 모든 곳에 충만할 것이라. 아멘. 아멘. 20 이새의 아들 다윗의 기도들이 마쳐졌다.

NET

16 May there be an abundance of grain in the earth; on the tops of the mountains may it sway. May its fruit trees flourish like the forests of Lebanon. May its crops be as abundant as the grass of the earth. 17 May his fame endure. May his dynasty last as long as the sun remains in the sky. May they use his name when they formulate their blessings. May all nations consider him to be favored by God. 18 The Lord God, the God of Israel, deserves praise. He alone accomplishes amazing things. 19 His glorious name deserves praise forevermore. May his majestic splendor fill the whole earth. We agree! We agree! 20 This collection of the prayers of David son of Jesse ends here.

목회자를 위한 설교학 석,박사 통합 과정 소개

1. 수업 진행

1) 월간 맛싸 31-33호를 듣기
2) 각권에 따라 원하는 본문을 원문에 근거하여 설교문을 작성하고 먼저 제출하기
3) 먼저 제출된 설교문을 컨설팅하고 완성된 설교문으로 설교하는 동영상(30분)을 촬영하여 제출하기

2. 수강 과목

1) 월간 맛싸 31호 13학점

(1) 요나(1-9회차) 2학점 - 설교 2편 작성 제출
(2) 요엘(10-21회차) 2학점 - 설교 2편 작성 제출
(3) 학개(22-28회차) 2학점 - 설교 2편 작성 제출
(4) 말라기(29-38회차) 2학점 - 설교 2편 작성 제출
(5) 오바다(39-41회차) 1학점 - 설교 1편 작성 제출
(6) 하박국(42-51회차) 2학점 - 설교 2편 작성 제출
(7) 스바냐(52-61회차) 2학점 - 설교 2편 작성 제출

2) 맛싸 32호 13학점

(1) 시편 119편(1-22회차) 2학점 - 설교 2편 작성 제출
(2) 시편 120-134편(올라가는 노래)(23-38회차) 6학점 - 설교 6편 작성 제출
(3) 시편 135-150편(39-61회차) 5학점 - 설교 5편 작성 제출

3) 맛싸 33호 13학점

(1) 룻기 (1-13회) 3학점 - 설교 3편 작성 제출
(2) 에스더 (14-48회) 3학점 - 설교 3편 작성 제출
(3) 시편 101-106편(49-62회) 3학점 - 설교 3편 작성 제출
(4) 신약 자유 본문(월간맛싸QT 내용중) 4학점 - 설교 4편 작성 제출

4) 논문 6학점 혹은 신약 자유 본문 6학점

(1) 논문 작성시 - 6학점
(2) 신약 자유 본문(월간맛싸QT 내용중) 6학점 - 설교 6편 작성 제출

3. 학비

2023년 가을학기 (8/28-12/9일까지 15주)
입학자격-학사 및 목회학 석사(Mdiv) 이상 졸업자(M.A 졸업자는 가능)
신학 석사(ThM) 45학점; 박사(DTh) 54학점; 석박사 통합 39+54=93학점
한학기 15학점; 석사 190만원; 박사 286만원
이번학기 송금처 언약성경연구소(Covenant Bible Institution)
농협 355-4696-1189-93 공식구좌

210X297mm / 62페이지 / 7,500원

왕초보 히브리어 펜습자

알파벳 따라쓰기

저자 - 허동보

Covenant University, CA
수현교회 담임목사
AP 부모교육 국제지도자
히브리어성경읽기 강사

히브리어, 어렵지 않습니다.
단지 익숙하지 않을 뿐입니다.

모든 언어는 문법보다 더욱 중요한 것이 있습니다. 바로 읽고 쓰는 것입니다.

기본에 충실합니다.

이 책은 단순합니다. 다른 알파벳 교재와 달리 읽고 쓰는 것에만 집중했습니다. 쓰는 순서, 자음과 모음의 발음, 읽는 방법 등 정말 기본적이고 기초적인 것에 집중을 했습니다.

남녀노소 누구나 할 수 있습니다.

모든 언어는 왕도가 없습니다. 처음에 말과 글을 배울 때 복잡한 문법부터 공부하는 사람은 없습니다. 이 책은 어린이, 청소년을 비롯하여 히브리어에 관심만 있다면 모든 연령이 쉽게 배울 수 있도록 집필되었습니다.

다양한 미디어로 공부가 가능합니다.

책 속에는 노트가 더 필요한 분들이 직접 인쇄할 수 있도록 QR코드를 제공하고 있습니다. 알파벳송은 따라부를 수 있도록 영상 QR코드를 제공합니다. 그 외 다양한 미디어 학습을 체험하실 수 있습니다.

정기구독신청서

20 년 월 일

<table>
<tr><td rowspan="6">신청인</td><td colspan="2">이름</td><td></td><td>생년월일</td><td colspan="3"></td></tr>
<tr><td colspan="2" rowspan="2">주소</td><td colspan="5"></td></tr>
<tr><td colspan="5"></td></tr>
<tr><td rowspan="3">전화</td><td>자택</td><td>( ) -</td><td>출석교회</td><td colspan="3"></td></tr>
<tr><td>회사</td><td>( ) -</td><td>직분</td><td colspan="3">담임목사 / 목사 / 전도사 / 장로 / 권사 / 집사</td></tr>
<tr><td>핸드폰</td><td>( ) -</td><td>E-mail</td><td colspan="3">@</td></tr>
<tr><td rowspan="4">수취인</td><td colspan="2">이름</td><td colspan="5"></td></tr>
<tr><td colspan="2" rowspan="2">주소</td><td colspan="5"></td></tr>
<tr><td colspan="5"></td></tr>
<tr><td colspan="2">전화(자택)</td><td></td><td>회사</td><td></td><td>핸드폰</td><td></td></tr>
<tr><td rowspan="3">신청내용</td><td colspan="2">신청기간</td><td colspan="5">20 년 월 ~ 20 년 월</td></tr>
<tr><td colspan="2">구독기간</td><td colspan="5">□ 1년 □ 2년 □ 3년</td></tr>
<tr><td colspan="2">신청부수</td><td colspan="5">부</td></tr>
<tr><td rowspan="7">결제방법</td><td colspan="2" rowspan="3">카드</td><td colspan="5">· 카드종류: 국민, 비씨, 신한, 삼성, 롯데, 현대, 농협, 씨티, VISA, Master, JCB</td></tr>
<tr><td colspan="5">· 카드번호: - - - · 유효기간: /</td></tr>
<tr><td colspan="5">· 소유주: · 일시불/할부 개월</td></tr>
<tr><td colspan="2" rowspan="3">온라인</td><td colspan="5"></td></tr>
<tr><td colspan="5"></td></tr>
<tr><td colspan="5"></td></tr>
<tr><td colspan="2">자동이체</td><td colspan="5">CMS</td></tr>
<tr><td>메모</td><td colspan="7"></td></tr>
</table>

정기구독 문의 및 안내 070-4126-3496

월간 맛사